Juan Armando Epple

BREVISIMA RELACION

NUEVA ANTOLOGÍA DEL MICROCUENTO HISPANOAMERICANO

BREVISIMA RELACION

Nueva antología del microcuento hispanoamericano

Primera edición: Julio de 1999
Reg. Propiedad Intelectual Nº: 77.318
I.S.B.N.:956-265-094-4

Impreso en los Talleres Gráficos de
MOSQUITO COMUNICACIONES
IMPRESO EN CHILE / PRINTED IN CHILE

INDICE

DEL AMOR

DEL TIEMPO

DE RITOS Y TRANSFORMACIONES

DE EXTRAÑOS SUCESOS

DE LA COTIDIANIDAD ALTERADA

DE CIERTAS COSMOVISIONES

DE LA LITERATURA Y OTROS MALES

DE VARIA LECCION

PROLOGO

La vida no es un ensayo, aunque tratemos muchas cosas;
no es un cuento, aunque inventemos muchas cosas;
no es un poema, aunque soñemos muchas cosas.
El ensayo del cuento del poema de la vida
es un movimiento perpetuo...
Augusto Monterroso,
Movimiento perpetuo

Relegado inicialmente al discreto estatuto marginal de la *varia invención* o del ejercicio inclasificable, el micro-relato ha ido consolidando y legitimando sus fueros canónicos gracias a la gestión cada vez más acuciosa de proyectos antológicos, la labor de difusión de revistas como **Ekuoreo** (Colombia), **El cuento** (México) y **Puro cuento** (Argentina), la atención que se le ha otorgado en talleres literarios como ejercicios de interpretación y estímulo creativo, y en fechas más recientes los trabajos de valoración crítica.

El micro-relato, como modalidad diferenciada de la ficción, fue difundido inicialmente en recopilaciones como la *Antología de la literatura fantástica* (1940), de Jorge Luis Borges, Silvina Ocampo y Adolfo Bioy Casares, *Cuentos breves y extraordinarios* (1967), de Jorge Luis Borges y Adolfo Bioy Casares, y *El libro de la imaginación* (1976), de Edmundo Valadés.A partir de la década del ochenta, habiéndose establecido ya el magisterio de Torri, Borges, Arreola, Anderson-Imbert, Denevi, Monterroso, en un rescate de lecturas que estimulan una diversificada preferencia por la modalidad expresiva de la minificción, su estatuto literario comienza a ser reconocido tanto en publicaciones antológicas (1) como en estudios críticos (2).

Su valoración y difusión ha contribuído a su vez a estimular la aventura creativa de muchos autores jóvenes. En Chile la escritora Pía Barros ha realizado una labor pionera en la escritura de micro-relatos tanto como ejercicio pedagógico para el trabajo creativo de talleres literarios como para orientar vocaciones por esta modalidad literaria. Las antologías y particularmente los originales libros-objeto editados por los talleres Ergo Sum han servido de modelo para proyectos creativos realizados posteriormente en otros países.

Reconociendo sus esbozos germinales en la renovación de prácticas discursivas que puso en marcha el Modernismo latinoamericano (como ha destacado David Lagmanovich), el origen moderno del micro-relato puede fijarse con mayor propiedad en la vanguardia y su voluntad transgresora de códigos discursivos y expectativas de lectura. Su evolución posterior y consolidación como praxis estética (de acuerdo a las aproximaciones críticas de Francisca Noguerol, Graciela Tomassini, Stella Maris Colombo, Lauro Zavala) se vincula a los procesos de impugnación axiológica de la tradición moderna que se vive en este fin de siglo: derogación de los discursos de la modernidad, canibalización paródica e iconoclasta de sus modelos culturales, desmontaje de los centros canónicos para privilegiar las zonas fronterizas y marginales, irrupción y semantización de lo fragmentario frente al principio de unidad del discurso moderno, lo que Frank Kermode llama «the post-modern love affair with the fragment», juego de transferencias genéricas, etc.

Las múltiples variantes configurativas de esta especie *sui generis* pueden así leerse como opciones discursivas que textualizan las hibridaciones multiculturales de la sociedad postmoderna y particularmente el estatuto heterogéneo del mundo latinoamericano.

La antología que ofrecemos a los lectores actualiza y amplía considerablemente esa **Brevísima relación...**, publicada por Mosquito Editores en 1990.

Juan Armando Epple
Universidad de Oregon

NOTAS

1) En el dominio inglés destacan las antologías de Irving Howe & Ilana Wiener Howe **Short Shorts: An Anthology of the Shortest Stories**. Boston: David R. Godine, 1982 y de Robert Shapard & James Thomas, **Sudden Fiction**. Salt Lake City: Gibbs & Smith, 1986. Trad. **Ficción súbita (Relatos ultracortos norteamericanos)**. Barcelona: Anagrama, 1989. El éxito editorial de la antología de Shapard y Thomas los estimuló a ampliar el registro, publicando nuevas antologías de evidente factura comercial, como **Sudden Fiction International. 60 Short Short Stories** (1989), **Flash Fiction: 72 Very Short Stories** y **Sudden Fiction (Continued). 60 New Short-Short Stories** (1996).

En español habría que considerar, en orden cronológico, las siguientes recopilaciones: Juan Armando Epple y Jim Heinrich. **Cien microcuentos hispanoamericanos**. Concepción: LAR, 1987; Juan Armando Epple. **Brevísima relación. Antología del micro-cuento latinoamericano**. Santiago de Chile: Mosquito Editores, 1990; Antonio Fernández Ferrer. **La mano de la hormiga. Los cuentos más breves del mundo y de las literaturas hispánicas**. Madrid: Ediciones Fugaz, 1990; Guillermo Bustamante Zamudio y Harold Kremer. **Antología del cuento corto colombiano**. Cali: Ediciones Universidad del Valle, 1994; Raúl Brasca. **Dos veces bueno. Cuentos brevísimos latinoamericanos**. Buenos Aires: des-de la Gente, 1996, y **Dos veces bueno. Más cuentos brevísimos latinoamericanos**. Buenos Aires: Desde la Gente, 1997; Juan Ar-mando Epple, «Breviario de cuentos breves latinoamericanos». **Re-vista Interamericana de Bibliografía**, Vol. XLVI (1996): 193-311, y **Breviario de amores** Lima: Lluvia Editores, 1999.

2) Entre los estudios recientes sobre el micro-relato destacamos el libro de Violeta Rojo, **Breve manual para reconocer minicuentos** (México: Universidad Autónoma Metropolitana, 1997), y el volu-men especial de la **Revista Interamericana de Bibliografía** (XLVI, 1996) que me correspondió coordinar, y que reúne ensayos de es-pecialistas de Argentina, Colombia, España, México, Venezuela y Estados Unidos.

La bibliografía específica que se adjunta a esta antología revela tanto el diversificado interés por el estudio del micro-relato como sus afinidades críticas, incluyendo ciertas coincidencias de lecturas. En agosto de 1998 se realizó en México el Primer Coloquio Inter-nacional de Minificción, organizado por la Universidad Autónoma Metropolitana con el auspicio del Instituto Nacional de Bellas Ar-tes. Las comunicaciones del encuentro serán editadas pronto en un volumen especial de la revista **Texto crítico**.

BREVISIMA RELACION SOBRE EL MINI-CUENTO

(Introducción a la primera edición)

El diversificado desarrollo de la ficción hispanoamericana contemporánea ha puesto de relieve un interesante corpus narrativo que comienza a atraer la atención de la crítica: son esas narraciones de extrema brevedad que se han bautizado indistintamente como "mini-cuentos", "micro-cuentos", "minificciones", "cuentos brevísimos" o "cuentos en miniatura".

Las formulaciones teóricas sobre el cuento, o las poéticas que declaran una concepción particular sobre el género, demarcan sus parámetros diferenciales a partir de la comparación con la novela, y los rasgos distintivos que se postulan (la brevedad, la singularidad, la tensión o la intensidad) siguen resultando insuficientes como categorías distintivas. La existencia de novelas cortas (la "nouvelle"), de acentuado rigor argumental y formal, y de cuentos extensos, ponen en cuestión el criterio tradicional de la extensión como límite entre ambos géneros. Con el cuento brevísimo el problema de la limitación genérica se dificulta aún más, por su relación con un amplio registro de formas breves de sustrato oral o libresco, y sobre todo por la dificultad de deslindar fronteras con las llamadas "formas simples" (el ejemplo, el caso, la fábula, la anécdota, etc.).

Los atributos genéricos que suelen destacarse en el cuento (situación narrativa única, intensidad, tensión, brevedad), si se consideraran aisladamente y no como una concatenación estructural, devienen en simples diferencias de grado con respecto a la nouvelle o la novela. Los que persisten en el afán de pensar los géneros como totalidades sistémicas, de legalidad autosuficiente, han optado por volver a las premisas del estructuralismo orgánico de un Kayser o un Staiger, para considerar el cuento como una sub-especie narrativa sin atributos realmente sui generis, donde concurren las modalidades generales de la ficción.

Pero el panorama creador latinoamericano no sólo ofrece un repertorio propicio para reactivar la atención hacia el universo distintivo del cuento (y de hecho hay valioso corpus de aproximaciones teóricas o formulaciones de una poética sobre el género escritas por Horacio Quiroga, Julio Cortázar, Juan Bosch, Mario Benedetti, M. Lancelotti, Enrique Anderson-Imbert, Cristina Peri Rossi, etc.) sino para diferenciar derroteros o preferencias estructurales de la ficción cuentística.

Lo que ha dado en llamarse "cuento breve", "micro-cuento" o "mini-cuento" no es simplemente una afición secundaria, apta para la nota humorística, el ingenio verbal o la relación anecdótica, si bien muchos de sus cultores aficionados no superan estos niveles. Escritores reconocidos como Jorge Luis Borges, Julio Cortázar, Cristina Peri Rossi, Eduardo Galeano, Luisa Valenzuela, etc., han renovado las opciones expresivas de la ficción breve. Y autores como Juan José Arreola, Marco Denevi, Augusto Monterroso, Enrique Anderson-Imbert o René Avilés Fabila, han canalizado su creatividad fundamentalmente en esta modalidad narrativa de variada filiación cultural, cuyo rasgo común (aspecto que no constituye, de por sí, una diferenciación canónica) es su notoria concisión discursiva. Y hay por lo menos cuatro autores chilenos que han contribuido a este repertorio con colecciones editadas en libros: Raquel Jodo-rowski, Alfonso Alcalde, Hernán Lavín Cerda y Andrés Gallardo.

Tanto la revista **El cuento**, de México, como **Puro cuento**, editada en Argentina por Mempo Giardinelli, han incrementado la popularidad de la mini-ficción con los concursos literarios que convocan periódicamente.

Algunos de estos relatos se vinculan a la tradición oral, recogiendo sus temas del folklore o la leyenda; otros son re-elaboraciones de historias ya fijadas en textos clásicos, con los cuales establecen una relación inter-textual; y otros basan su asunto en anécdotas, casos o sucedidos de la experiencia contemporánea, propuestos como un universo imaginario de significación autosuficiente.

En el capítulo sobre la "Génesis del cuento", de su libro **Teoría del cuento** (Buenos Aires: Marymar, 1979), Enrique Anderson-Imbert señala que el origen de las formas breves puede rastrearse en los inicios de la literatura, ya hace cuatro mil años (en textos sumerios y egipcios), como relatos intercalados, y que luego se van perfilando en la literatura griega (Herodoto, Luciano de Samotracia), como digresiones imaginarias con una unidad de sentido relativamente autónoma. El autor destaca, como función originaria, esa situación de textos enmarcados en un discurso mayor, generalmente en forma de diálogos, y su función digresiva, destinada a desviar al oyente del discurso central de las situaciones expuestas en esos diálogos para reactivar o dosificar su atención con la inclusión oportuna de hechos sorprendentes, in-habituales o extra-ordinarios.

Pero en la Edad Media cuando empiezan a discernir, en las expresiones narrativas, formas diferenciadas de ficción breve, especialmente en la literatura didáctica. Además de las expresiones de la tradición oral y popular como las leyendas, los mitos, las adivinanzas, el caso o la fábula, en que interesa más el asunto que su formalización discursiva, surgen modos de discurso que se articulan en estatutos genéricos ya decantados en la tradición letrada, como la alegoría, el apólogo o la parábola. La fuente canónica estaba prescrita generalmente en los textos religiosos. Estas expresiones literarias se diferencian generalmente de las "formas simples" (estudiadas y catalogadas por André Jolles en su libro **Einfache Formen** (1930)), pues codifican estructuras narrativas con una función mimético-representativa ya diferenciada. No es azaroso que la indagación por los orígenes del cuento literario suela extenderse hasta esos siglos de comprensión todavía incipiente: esa Edad Media no sólo incuba muchas de las expresiones precursoras de la literatura tal como la entendemos hoy, sino las proposiciones estéticas sobre la diferenciación de los géneros (fundamentalmente a través de la revaloración de la poética aristotélica).

En el cuento breve hispanoamericano se detectan relaciones dialogantes tanto con la tradición oral o folclórica como con la tradición "culta" (un término más apropiado es llamarla "libresca"), que se remonta a esa época.

En el primer caso, una línea narrativa que es importante destacar es la que basa sus asuntos en la experiencia colectiva que se trasmite oralmente, sea como "sucedido" o como "anécdota", y que el autor recoge como una situación de por sí significativa, formalizando sus líneas esenciales. Son textos que buscan plasmar a la vez la frescura coloquial del lenguaje de una comunidad y sus claves culturales. El narrador es sólo una figura intermediaria que oye y transcribe una historia cuya autoría se adjudica a la comunidad. Dos de los más importantes escritores chicanos, Tomás Rivera y Rolando Hinojosa, incluyen en sus libros breves relatos intercalados que provienen de la tradición oral de la extensa población inmigrante proveniente de México, de origen predominantemente campesino. Otros autores hispanoamericanos elaboran asuntos que pueden identificarse originariamente como "casos", "anécdotas" e incluso "chistes". La frontera entre lo real y lo imaginario son siempre ambiguas, pero lo que estos casos valida literariamente los textos es la carga de experiencia significativa que condensan. Convertir un acontecimiento real en hecho literario es un reto que sólo puede resolver satisfactoriamente el escritor talentoso, aquel capaz de unir en su escritura la contingencia de la experiencia narrada con su significación autosu-ficiente. O dicho en referencia a dos modalidades de discurso que suelen polarizarse: buscando la relación dialéctica entre el testimonio (la relación particularizada de los hechos desde la perspectiva del testigo presencial) y la alegoría (la abstracción esencialista de una versión de la realidad).

En la línea de relatos breves que establecen una relación intertextual con la tradición clásica destacan las reelabora-ciones de mitos e historias famosas, y la predilección por la fábula como modalidad narrativa de renovada eficacia. Esta última forma canaliza usualmente una visión satírica de la sociedad, y las razones de esta preferencia en Hispanoamérica son obvias. Entre estos nuevos "fabulistas" sobresalen Juan José Arreola, Marco Denevi y Augusto Monterroso. Se trata de escritores que han explorado con talento e ingenio diversas modalidades del discurso ficticio: fábulas, parodias (tanto de género como de historias clásicas), alegorías y relatos satíricos no asociados a la sátira tradicional.

Hay otros relatos que pueden filiarse a códigos discursivos contemporáneos, como las "greguerías", las nuevas expresiones de "agudeza" o a exploraciones vanguardistas deudoras de la antipoesía: propuestas de anti-relatos.

Finalmente, están aquellos textos que, sin establecer vínculos con modelos genéricos o temas ya decantados por la tradición, presentan en pocas líneas un inquietante universo de sentido en que se reconoce como expresión original de un cuento literario.

Creemos que esta brevísima antología, recopilación iniciada como una simple curiosidad intelectual y sin pretensiones académicas, ofrece un registro amplio de una forma narrativa de sostenida vitalidad. Como complemento para un trabajo pedagógico, el lector especializado puede encontrar, además, ejemplos oportunos para analizar conceptos literarios (la sátira, parodia, alegoría, etc.) y los relativos a tópicos o modos de discurso. Incluimos también una bibliografía teórica sobre el cuento producida en el dominio latinoamericano.

¿Cómo se fue desarrollando esta preferencia por la ficción breve en Hispanoamérica?

El cuento moderno, y nos referimos a esa tradición que se origina en el siglo XIX como discurso que se desgaja autónomo tanto del artículo de costumbres como de esos extensos compendios narrativos que intercalaban relatos de raigambre folklórica o anecdótica, estuvo estrechamente vinculado a las demandas y opciones de las revistas, que a la vez crearon un mercado para este tipo de ficción y le impusieron una restricción espacial que luego se confundió con un rasgo genérico: la brevedad. Los artículos de Horacio Quiroga quejándose de la tiranía de los editores de revistas y mofándose del inusitado "boom" del cuento, a comienzos de siglo, ofrecen una interesante información sobre el fenómeno. La demanda que tuvo la ficción breve cuando los editores de revistas descubrieron que era más atractivo y práctico publicar relatos en ves de las tradicionales series folletinescas, explica además la proliferación de preceptivas sobre el arte de escribir cuentos, las cuales en su mayoría mezclaban criterios de valoración fundados en lecturas de los clásicos con recomendaciones técnicas, ofreciendo verdaderos "recetarios" para elaborar y ofrecer al mercado un objeto entendido como artesanía lingüística (el cuento como "craft"). El famoso "Decálogo del perfecto cuentista", de Horacio Quiroga, que se ha leído tradicionalmente como una poética de pretensiones autosuficientes, tiene en verdad una carga paródica que relativiza esa tendencia a encasillar el arte del cuento en unas cuantas reglas de composición.

La compaginación de las revistas requería también llenar algunos espacios pequeños con ilustraciones o textos autosu-ficientes: fueron espacios propicios para agregar poemas cortos, citas, pensamientos y micro-relatos. Los micro-cuentos que publicó Robén Darío a comienzos de siglo parecen obedecer a esta factura por encargo. Distinto es el caso de Vicente Huidobro. Los "cuentos en miniatura" que publicó en 1927, anunciando un proyecto que al parecer dejó de lado, se adscriben a una óptica de exploración vanguardista que somete a prueba, a través de la derogación paródica, los modelos discursivos y los principios canónicos en boga (tanto de la novela, del drama como de la poesía). Sus cuentos en miniatura parecen haberse escrito a contrapelo del decálogo enunciado por su contemporáneo uruguayo.

A partir de la década del 50, y en una línea que parece disociarse, estableciendo una nota de relativización irónica, de las pretensiones totalizadoras de la narrativa del "boom", un número cada vez más importante de escritores se dejan seducir por las posibilidades, todavía ancilares, de la mini-ficción como registro independiente de propuestas literarias.

Pero es sin duda en los narradores de las generaciones más recientes donde se advierte una mayor apertura a las opciones creadoras de la ficción breve, en textos que exploran con soltura perspectivas aleatorias, de notoria fluidez semiótica, transgrediendo o distendiendo las fronteras convencionales de los géneros. Son textos que en algunos casos resisten la adscripción restrictiva a la poesía, el testimonio o la ficción tradicional, atrayendo al producto textual el cuestionamiento implícito de su legalidad genérica.

Si bien una parte de estos relatos se adecua al diseño tradicional del cuento, destacándose sólo por su extrema concisión formal, hay otros que resisten una clasificación genérica determinada, problematizando su legalidad discursiva. En estos casos, lo que tenemos son formalizaciones textuales de un tipo de exploración discursiva que se asienta en un género u otro como simple vehículo coyuntural, una escritura que responde también a una etapa de rearticulación expresiva donde aún no se han cancelado totalmente las formas discursivas tradicionales, pero tampoco se han decantado cabalmente las nuevas modalidades literarias. Metáfora expresiva de los dilemas que viven las sociedades latinoamericanas en sus niveles sociales, ideológicos y de reformulación estética de sentidos, esta escritura se distiende conflictivamente en dos direcciones de difícil conciliación: hacia una herencia canónica entendida como tradición periclitada pero que sigue ejerciendo cierto rango de influencias en la comprensión habitual de lo literario, y hacia la búsqueda de una expresividad radicalmente nueva. El diálogo con la tradición se ejerce de preferencia extremando los recursos de la parodia (y sabemos que la parodia es un procedimiento que conlleva un reconocimiento y un homenaje implícito al modelo que se busca derogar) y ejerciendo el arte del reciclaje. En una segunda dirección, la configuración de propuestas nuevas de lectura asume como requisitorias (inevitable la transgresión de los estatutos genéricos y la plasmación de un orden escritural que aloja, en una cohabitación desinhibida pero aún tentativa, sin definir compromisos, registros semiológicos de muy distinta procedencia).

El propósito de esta antología es reunir un catastro amplio de textos que permita aquilatar la variedad temática y expresiva de la ficción breve hispanoamericana, una opción narrativa que merece, a nuestro juicio, una valoración y difusión distinta.

Al elegir como criterio de selección la brevedad (y en este caso se trata de relatos que van de una línea a una página), el rasgo más precario entre los que suelen considerarse al fundamentar una teoría o una poética del cuento como género, corremos el riesgo de validar implícitamente ese rasgo como una categoría distintiva de la minificción en tanto sub-especie del cuento literario.

En todo caso, el criterio fundamental para reconocerlo como relatos no es su brevedad sino su estatuto ficticio, atendiendo específicamente al estrato del mundo narrado. Creemos que lo que distingue a estos textos como relatos es la existencia de una situación narrativa única formulada en un espacio imaginario y en su decurso temporal, aunque algunos elementos de esta triada (acción, espacio, tiempo) estén simplemente sugeridos. El conocido cuento de Augusto Monterroso El dinosaurio es un ejemplo propicio: "Cuando despertó, el dinosaurio todavía estaba allí". Aquí la narración está reducida al mínimo posible, a un eje clave de la tensión narrativa, mostrando el quiebre de las fronteras entre la realidad y el sueño, la súbita irrupción de lo fantástico. Pero en ésta hay un decurso temporal (fijado en los verbos) y una referencia a la situación espacial ("allí", el lugar donde ocurre la experiencia). Hay otros relatos donde no están explicitados todos los elementos básicos que concurren a particularizar el estrato del mundo narrado (algo que hace o le ocurre a alguien en algún lugar), pero donde hay al menos uno de ellos sosteniendo la concreción de lo narrado, convocando o aludiendo implícitamente a los otros para consolidar su connotación de sentido.

Las caracterizaciones genéricas resultan siempre ejercicios de aproximación intelectual de validez relativa. Buscan explicar, y a veces fijar con los criterios normativos de moda, modos de discurso históricamente diferenciados en la evolución de la literatura. Pero la imaginación y la capacidad expresiva de los escritores rebalsan muchas veces los parámetros con que pretendemos encasillar las modalidades narrativas. Y una de las motivaciones de la literatura actual reside precisamente en la voluntad de transgredir los cánones (género, estilo, etc.) establecidos por la tradición precedente.

Y el minicuento parece ser, a la postre, un concentrado ejercicio destinado a poner en tensión nuestras convicciones y hábitos de lectura.

Juan Armando Epple
Universidad de Oregón
1990

DEL AMOR

TRAGEDIA

Vicente Huidobro
(Chile)

María Olga es una mujer encantadora. Especialmente la parte que se llama Olga.

Se casó con un mocetón grande y fornido, un poco torpe, lleno de ideas honoríficas, reglamentadas como árboles de paseo.

Pero la parte que ella casó era su parte que se llamaba María. Su parte Olga permanecía soltera y luego tomó un amante que vivía en adoración ante sus ojos.

Ella no podía comprender que su marido se enfureciera y le reprochara infidelidad. María era fiel, perfectamente fiel. ¿Qué tenía él que meterse con Olga? Ella no comprendía que él no comprendiera. María cumplía con su deber, la parte Olga adoraba a su amante.

¿Era ella culpable de tener un nombre doble y de las consecuencias que esto puede traer consigo?

Así, cuando el marido cogió el revólver, ella abrió los ojos enormes, no asustados, sino llenos de asombro, por no poder entender un gesto tan absurdo.

Pero sucedió que el marido se equivocó y mató a María, a la parte suya, en vez de matar a la otra. Olga continuó viviendo en brazos de su amante, y creo que aún sigue feliz, muy feliz, sintiendo sólo que es un poco zurda.

En **Antología**, edición de Eduardo Anguita (Santiago: Zig–Zag, 1945), pág. 190. También en **Obras completas**. ed. de Hugo Montes, Tomo I (Santiago de Chile: Editorial Andrés Bello, 1976), pág. 909–10.

RETRATO

Adolfo Bioy Casares
(Argentina)

Conozco a una muchacha generosa y valiente, siempre resuelta a sacrificarse, a perderlo todo, aún la vida, y luego a recapacitar, a recuperar parte de lo que dio con amplitud, a exaltar su ejemplo, a reprochar la flaqueza del próximo, a cobrar hasta el último centavo.

Adolfo Bioy Casares. **Guirnalda con amores**. Buenos Aires: Emecé, 1959, pág. 117.

CUENTO DE HORROR

Juan José Arreola
(México)

La mujer que amé se ha convertido en fantasma.

Yo soy el lugar de las apariciones.

Juan José Arreola. **Palindroma**. México: Joaquín Mortiz, 1980.

BIBLICA

Juan José Arreola

Levanto el sitio y abandono el campo... La cita es para hoy en la noche. Ven lavada y perfumada. Unge tus cabellos, ciñe tus más preciosas vestiduras, derrama en tu cuerpo la mirra y el incienso. Planté mi tienda de campaña en las afueras de Betulia. Allí te espero guarnecido de púrpura y de vino, con la mesa de manjares dispuesta, el lecho abierto y la cabeza prematuramente cortada.

Juan José Arreola. **Palindroma**. México: Joaquín Mortiz, 1980.

UNION INDESTRUCTIBLE

Virgilio Piñera
(Cuba)

Nuestro amor va de mal en peor. Se nos escapa de las manos, de la boca, de los ojos, del corazón. Ya su pecho no se refugia en el mío y mis piernas no corren a su encuentro. Hemos caído en lo más terrible que pueda ocurrirle a dos amantes: nos devolvemos las caras. Ella se ha quitado mi cara y la ha tirado en la cama; yo me he sacado la suya y la encajo con violencia en el hueco dejado por la mía. Ya no velaremos más nuestro amor. Será bien triste coger cada uno por su lado.

Sin embargo, no me doy por vencido. Echo mano a un sencillo recurso. Acabo de comprar un tambor de pez. Ella, que ha adivinado mi intención, se desnuda en un abrir y cerrar de los ojos. Acto seguido se sumerge en el pegajoso líquido. Su cuerpo ondula en la negra densidad de la pez. Cuando calculo que la impregnación ha ganado los repliegues más recónditos de su cuerpo, le ordeno salir y acostarse en las lozas de mármol del jardín. A mi vez, me sumerjo en la pez salvadora. Un sol abrasador cae a plomo sobre nuestras cabezas. Me tiendo a su lado, nos fundimos en estrecho abrazo. Son las doce del día. Haciendo un cálculo conservador espero que a las tres de la tarde se haya consumado nuestra unión indestructible.

Virgilio Piñera. **Cuentos fríos**. Buenos Aires: Losada, 1956.

LA CREACION DE EVA

Alvaro Menén Desleal
(El Salvador)

Esta se llamará varona, porque del hombre ha sido tomada
Génesis

Adán se sintió invadido por un profundo sopor. Y durmió. Durmió largamente sin soñar nada. Fue un largo viaje en la oscuridad.

Cuando despertó, le dolía el costado. Y comenzó su sueño.

Alvaro Menén Desleal. **Cuentos breves y maravillosos.** San Salvador: Ministerio de Educación, 1963, pág. 67.

LA EDAD DE UN CHINO

Alvaro Menén Desleal

(Tomado de «Crónicas del Reino del Dragón Eterno», Siglo XIII)

Lu Dse Yan enamoraba a la hija de un funcionario de estado; pero la muchacha tenía quince años menos que él. Lu Dse Yan no era viejo precisamente: contaba 30 años, y era un joven erudito autor de un tratado sobre cómo evitar las inundaciones en los campos.

–Lo que pretendes es imposible –le dijo un día Lin Po, la hija del funcionario–; yo tengo 14 años y tú, 30. Demasiadas primaveras nos separan.

–Realmente no es mucha la diferencia –contentó Lu Dse Yan–; cuando tú tengas veinticinco años, yo tendré cuarenta, y la gente no podrá menos que alabar la buena pareja que formaremos.

–Cuando tú tengas 45 –respondió la muchacha–, yo tendré apenas 30, y la gente no podrá menos que decir: «Mira qué pareja: ella joven, él viejo».

–Cuando tengas tú 45 –afirmó el joven erudito–, yo tendré 60, y para entonces no habrá quién sospeche de la diferencia entre nuestras edades.

–Cuando tengas tú 65 –dijo de nuevo ella–, yo tendré 50, y deberé ayudarte a caminar.

–Cuando seas tú la que tenga 60, celebraré yo mis tres cuartos de siglo llevándote al Templo de Confusio en Ch'u–fu.

–Si llego yo a esa avanzada edad –contestó ella– tú tendrás ya 90 años y deberé alimentarte como a un niño.

–De cumplir tú los 85, seré yo quien te ilumine con Tao.

–Para entonces –replicó la dama– estarás en los cien años, y pasarás el tiempo tendido al sol, sin ánimos para nada.

–Entonces –terminó Lu Dse Yan– la gente habrá dejado de pensar en la diferencia de edades, y sólo exclamará: «mirad a ese viejo erudito y a su vieja mujer: ambos se cuidan y se aman como si fueran novios». Y entonces el Nieto del Cielo y la Doncella Tejedora, al juntarse el séptimo día de la séptima luna en la Vía Láctea, harán que podamos quedar como marido y mujer de encarnación en encarnación.

Alvaro Menén Desleal. **Cuentos breves y maravillosos**. San Salvador: Ministerio de Educación, 1963, pág. 100–101.

DOLORES ZEUGMATICOS

Guillermo Cabrera Infante
(Cuba)

Salió por la puerta y de mi vida, llevándose con ella mi amor y su larga cabellera negra.

Guillermo Cabrera Infante. **Exorcismos de esti(l)o**. Barcelona: Seix Barral, 1967.

12

Alfredo Armas Alfonzo
(Venezuela)

Ulise Tomupo, como no tenía mujer se las inventaba, achicharraba chamizas y con la punta se pintaba las mujeres en el cuerpo, con este carbón de leña se ponía los senos de la mujer, los ombligos de la mujer a pesar de que él tenía el suyo, se representaba con grafía que no era del todo satisfactoria aquellas partes de la mujer que correspondían a las ingles. En una fiesta de San Antonio, Ulise Tomupo, que no había sido visto ni en la misa ni en la procesión, su hermano Antero Tomupo después de mucho buscarlo lo descubrió en el cuarto del maíz con su mujer y enardecido sacó la lanza y lo clavó en el bahareque.

Alfredo Armas Alfonzo. **El osario de Dios**. Cumaná, Venezuela: Editorial Púa, 1969.

HELENA Y MENELAO

Marco Denevi
(Argentina)

Helena jamás volverá junto Menelao. Un marido que para vengar su honor complica a tanta gente y a tantos dioses demuestra que tiene más amor propio que amor.

Marco Denevi. **Antología precoz**. Santiago de Chile: Editorial Universitaria, 1973, pág. 216.

MALDONADO Y GABRIELA

Hernán Lavín Cerda
(Chile)

Maldonado escribió casi sin fuerzas y con una letra apretada y menuda como granos de arroz: «Perdóname, Gabriela, el destino es así y mi determinación ya está tomada» y ¡clic!, ¡clic!, la bala se quedó tiesa, no sale, y el gatillo huero y el fulminante apagado. A Maldonado le corrían gotas de sudor por la frente y estaba pálido y frío como la Virgen del Carmen.

Enfundó la pistola y abrió la persiana. Miró su reloj, eran las 11. Echó sus seis balas sobre la colcha verde y las tocó, las dio vuelta, estaban frías, las volvió a tocar y pensó en Gabriela. Se sentía un pobre pajarraco: «Soy un pobre pajarraco a quien a diario despluman, soy una triste rata de oficina. No podemos, Gabriela, seguir así, desplumándonos; sería un suplicio si siguiéramos viviendo juntos. Hasta ahora tú has sido la reina del carnaval. Pero mañana. Yo soy, tú lo sabes, un neurótico de siete vidas, un insufrible gato con botas, el dueño del veneno».

Ahora suena el timbre y doña Blanca le pasa el telegrama. El lo abre, temblando: «Perdóname, Maldonado, el destino es así y mi determinación ya está tomada». El siente cómo ella se lleva el cañón del revólver a la sien derecha y gatilla ¡paf! y el fulminante da su alarido y estalla una nube negra y hay un espeso olor a carne chamuscada y «Adiós Maldonado, perdóname, no me guardes rencor, yo no podía vivir así, tú lo sabes, hasta nunca, tuya,

Gabriela».

Hernán Lavín Cerda. **La crujidera de la viuda**. México: Siglo XXI, 1971, pág. 55.

EL AZAR DE LA GENETICA

Hernán Lavín Cerda

Metabólicamente hablando, somos tránsfugas a partir del orígen; diríase que hay un deslizamiento genético: las células experimentan un cambio, sin fin, en la información que las instruye o condiciona. no todo es inalterable en este campo; turistas de nuestra idiosincracia, vamos de un punto a otro sin mucha precisión: el viaje constituye una mayor experiencia celular, así como un envejecimiento inevitable. No conocemos a nadie que se mantenga fiel al modelo cromosomático del primer día, a pesar de que los genetistas afirman lo contrario. El mendelismo es verificable, sin duda, pero puede haber un margen de error en su despliegue; no hay cadenas incólumes y Mendel también podría convertirse en un personaje simbólico, una ficción cinética. Si oímos nuestra respiración, apreciamos que de pronto algo se transforma; posiblemente se trata de una metamorfosis invisible: las células más antiguas, que pertenecen al simulacro respiratorio, se cansan de seguir siempre en lo mismo y es el instante de las interrupciones o las lúdicas intermitencias. Respirar, en esos casos, se vuelve juego sin límites porque celularmente hay una dinámica que no se rige por leyes unívocas y, de ese modo, entramos en el espacio de la función poética donde el acto de inspiración o espiración es una metáfora múltiple.

Los signos de la herencia se modifican de manera imperceptible con el transcurso de los años, como sucede en el amor, esa bioquímica de sensibilidad peligrosa. Existe la sospecha de que el amor no es materia ni espíritu, aunque parece depender del azar hereditario; el amor es especulación y a veces se hunde en lo abstracto, pero se ve, lo vimos, es figura palpable con los ojos y los dedos al teclear sobre la máquina de escribir.

También el amor se respira como la sangre: oxígeno entre células o presión arterial que nos hace reir como a San Francisco junto a sus animales. Al fin y al cabo, el soplo de la célula desaparece y, como el amor, la genética se tranquiliza.

Juan Armando Epple. **Brevísima relación del cuento breve de Chile.** Santiago: LAR, 1989, pág. 59.

SI EL PLACER SE MIDIERA POR LAS APARIENCIAS

Alfonso Alcalde
(Chile)

A las cuatro de la tarde, la prostituta, al despertar goza de un momento de libertad. Hace un recuento con la boca seca y los ojos aun húmedos. Mirará el dinero que el último cliente dejó en su velador alumbrado por la lámpara de globo. No podrá evitar mientras bosteza, sugerirse la idea que si sumara a los 25 años de oficio todos los hombres que se han acostado con ella, podría con toda facilidad acercarse a la luna. Bastaría con colocar, en una descabellada posibilidad, un sexo después del otro en un abierto desafío contra la ley de gravedad interrogando a las estrellas sobre su felicidad o desdicha pensando que el amor es una quimera o en todo caso un engañoso juego de artificio.

El cuento. Revista de imaginación, N°84 (1980), pág. 377.

PERIPECIAS DEL SOLDADO

Alfonso Alcalde

Yo le dije al mariscal de campo con todo respeto: –Usted me envía al matadero. Está previsto que en este ataque nadie escapará con vida. Ahora bien, usted me obliga a disparar con este torpe fusil que tiene un corcho en la punta, mi general. Usted me dice que esperamos la hora cero para asaltar al enemigo que nos espera con las ametralladoras camufladas en las casamatas. Mi capitán, no es que yo sea cobarde. Saludo a la bandera antes de partir, soy joven, difícil sostener que tengo derecho a la vida y la guerra es la guerra, eso está claro, mi cabo, pero el hecho de que yo me haya enredado con su mujer, después de todo, se puede arreglar con un trato de caballeros. En todo caso cuando se acueste con ella dígale que mis últimas palabras fueron: ¡Viva la patria, viva el amor!, pero no le dé mayores detalles cuando se ponga a llorar y salga a buscarme en medio de la noche, mi sargento cornudo.

El cuento. Revista de imaginación, N.70 (1975), pág. 415.

TATUAJE

Ednodio Quintero
(Venezuela)

Cuando su prometido regresó del mar se casaron. El había aprendido el arte del tatuaje y alguna otra cosa. Dibujó con sumo cuidado –en el vientre de ella– un hermoso puñal. El hombre murió una tarde y ella pasó muchos días nadando en lágrimas. El otro comenzó a rondarla. Tanto insistió que al fin ella cedió. Nunca se supo cómo el hombre desnudo se le quedó muerto encima, atravesado por el puñal.

Ednodio Quintero. **La muerte viaja a caballo**. Mérida, Venezuela: Ediciones La Daga y el Dragón, 1974, pág. 37

A PRIMERA VISTA

Poli Délano
(Chile)

Verse y amarse locamente fue una sola cosa.

Ella tenía los colmillos largos y afilados.

El tenía la piel blanda y suave: estaban hechos

el uno para el otro.

Poli Délano. **Sin morir del todo**. México: Extemporáneos, 1975, pág. 54.

EN EL FONDO, TODO ES CUESTION DE HISTORIA

Eduardo Galeano
(Uruguay)

Varios siglos antes de Cristo, los etruscos enterraban a sus muertos entre paredes que cantaban al júbilo de vivir.

En el 66, con Graciela, bajamos a las tumbas etruscas y vimos las pinturas. Había amantes disfrutándose en todas las posiciones, gente comiendo y bebiendo, escenas de música y celebración.

Yo había sido amaestrado católicamente para el dolor y me quedé bizco ante ese cementerio que era un placer.

Y DE CORAJE

Una noche, hace añares, en un cafetín del puerto montevideano, estuve hasta el amanecer tomando tragos con una puta amiga, y ella me contó:

–¿Sabés una cosa? Yo, a los hombres, en la cama, no los miro nunca a los ojos. Yo trabajo con los ojos cerrados. Porque si los miro me quedo ciega, ¿sabés?

Eduardo Galeano. **Días y noches de amor y de guerra**. Barcelona: Editorial Laia, 1981, pág. 49.

DE AMOR

Jaime Sabines
(México)

Te quiero a las diez de la mañana, y a las once, y a las doce del día. Te quiero con toda mi alma y con todo mi cuerpo, a veces, en las tardes de lluvia. Pero a las dos de la tarde, o a las tres, cuando me pongo a pensar en nosotros dos, y tú piensas en la comida o en el trabajo diario, o en las diversiones que no tienes, me poongo a odiarte sordamente, con la mitad del odio que guardo para mí.

Luego vuelvo a quererte, cuando nos acostamos y siento que estás hecha para mí, que de algún modo me lo dicen tu rodilla y tu vientre, que mis manos me convencen de ello, y que no hay otro lugar en donde yo me venga, a donde yo me vaya mejor que tu cuerpo. Tú vienes entera a mi encuentro, y los dos desaparecemos un instante, nos metemos en la boca de Dios, hasta que yo te digo que tengo hambre o sueño.

Todos los días te quiero y te odio irremediablemente. Y hay días también, hay horas, en que no te conozco, en que me eres ajena como la mujer de otro. Me preocupan los hombres, me preocupo yo, me distraen mis penas. Es probable que yo piense en ti durante mucho tiempo. Ya vez. ¿Quién podría quererte menos que yo, amor mío?

Edmundo Valadés. **El libro de la imaginación**. México: Fondo de Cultura Económica, 1976, pág. 77–78.

RIO DE LOS SUEÑOS

Gustavo Sainz
(México)

Yo, por ejemplo, misántropo, hosco, jorobado, pudrible, inocuo exhibicionista, inmodesto, siempre desabrido o descortés o gris o tímido según lo torpe de la metáfora, a veces erotómano, y por si fuera poco, mexicano, duermo poco y mal desde hace muchos meses, en posiciones fetales, bajo gruesas cobijas, sábanas blancas o listadas, una manta eléctrica o al aire libre, según el clima, pero eso sí, ferozmente abrazado a mi esposa, a flote sobre el río de los sueños.

En Edmundo Valadés. **El libro de la imaginación**. México: F.C.E. 1976, pág. 19.

AMOR 77

Julio Cortázar
(Argentina)

Y después de hacer todo lo que hacen se levantan, se bañan, se entalcan, se perfuman, se visten, y así progresivamente van volviendo a ser lo que no son.

Julio Cortázar. **Un tal Lucas**. Madrid: Ediciones Alfaguara, 1979, pág. 115

LA MUJER QUE AMO LA LLUVIA

Iliana Gómez Berbesi
(Venezuela)

Mujer de cal enhebra el vientre en la temporada especial. De pronto, un día de lluvia sale intempestivamente a ofrecernos su hijo. Se comenta que el padre está feliz o más bien todavía no lo entiende: que la borra del café en la madrugada no supera las palabras sin sentido entre los esposos. Además, ella aguardó con impaciencia hasta las cinco de la tarde; sabía que ya nada se perdería y, sin embargo, mucho de lo que amaba se le había ido. Por ejemplo, la escena de pájaros incrustados en un cinturón de tela, que de ahora en adelante, no le serviría. O la curva de dos cuerpos detrás de la ventana.

De lo que se llegó a contar, no fue poco el misterio, las versiones erróneas y el preguntarse si acaso las paredes pueden preñarse únicamente con el agua. Sin poder evitar los escarnios, ella dedicó grandes esfuerzos y la generosidad de sus pechos en insuflarle vida a la criatura. Los demás, aunque parezca mentira, la fueron olvidando con el tiempo.

La gente no volvió a preguntar por qué cada vez que llovía por las tardes, una figura blancuzca se aparecía en algunas puertas ofreciendo un extraño bulto de ropa y diciendo que era su nuevo hijo. Luego de tanto fabular triángulos amoosos y bochornosos engendros, todos comprendieron que el argumento no regresaría a su hilo y por eso, nunca se supo quién lo había tejido.

Iliana Gómez Berbesi. **Secuencias de un hilo perdido**. Cumaná, Venezuela: Universidad de Oriente, 1982, pág. 65.

LA INCREDULA

Edmundo Valadés
(México)

Sin mujer a mi costado y con la excitación de deseos acuciosos y perentorios, arribé a un sueño obseso. En él se me apareció una, dispuesta a la complacencia. Estaba tan pródigo, que me pasé en su compañía de la hora nona a la hora sexta, cuando el canto del gallo. Abrí luego los ojos y ella misma, a mi diestra, con sonrisa benévola, me incitó a que la tomara. Le expliqué, con sorprendida y agotada excusa, que ya lo había hecho.

–Lo sé –respondió–, pero quiero estar cierta.

Yo no hice caso a su reclamo y volví a dormirme, profundamente, para no caer en una tentación irregular y quizás ya innecesaria.

Edmundo Valadés. **Sólo los sueños y los deseos son inmortales, Palomita**. México: Ediciones Océano, 1986, pág. 35.

LA NATURALEZA DEL AMOR

Cristina Peri Rossi
(Uruguay)

Un hombre ama a una mujer, porque la cree superior. En realidad, el amor de ese hombre se funda en la conciencia de la superioridad de la mujer, ya que no podría amar a un ser inferior, ni a uno igual. Pero ella también lo ama, y si bien este sentimiento lo satisface y colma algunas de sus aspiraciones, por otro lado le crea una gran incertidumbre. En efecto: si ella es realmente superior a él, no puede amarlo, porque él es inferior. Por lo tanto: o miente cuando afirma que lo ama, o bien no es superior a él, por lo cual su propio amor hacia ella no se justifica más que por un error de juicio.

Esta duda lo vuelve suspicaz y lo atormenta. Desconfía de sus observaciones primeras (acerca de la belleza, la rectitud moral y la inteligencia de la mujer) y a veces acusa a su imaginación de haber inventado una criatura inexistente. Sin embargo, no se ha equivocado: es hermosa, sabia y tolerante, superior a él. No puede, por tanto, amarlo: su amor es una mentira. Ahora bien, si se trata, en realidad, de una mentirosa, de una fingidora, no puede ser superior a él, hombre sincero por excelencia. Demostrada, así, su inferioridad, no corresponde que la ame, y sin embargo, está enamorado de ella.

Desolado, el hombre decide separarse de la mujer durante un tiempo indefinido: debe aclarar sus sentimientos. La mujer acepta con aparente naturalidad su decisión, lo cual vuelve a sumirlo en la duda: o bien se trata de un ser superior que ha comprendido en silencio su incertidumbre, entonces su amor está justificado y debe correr junto a ella y hacerse perdonar, o no lo amaba, por lo cual acepta con indiferencia su separación, y él no debe volver.

En el pueblo al que se ha retirado, el hombre pasa sus noches jugando al ajedrez consigo mismo, o con la muñeca tamaño natural que se ha comprado.

Cristina Peri Rossi. **Una pasión prohibida**. Barcelona: Seix Barral, 1986,pág.87.

PASEAR AL PERRO

Guillermo Samperio
(México)

A Carmen y Vicente Quirarte

Amaestrados, ágiles, atentos, bucólicos, bramadores, crespos y elegantes, engañosos y hermafroditas, implacables, jocundos y lunáticos, lúcidos, mirones, niños, prestos, rabiosos y relajientos, sistemáticos, silenciosos, tropel y trueque, ultimátum y veniales, vaivienen, xicotillos, zorros implacables, son los perros de la mirada del hombre que fijan sus instintos en el cuerpo de esa mujer que va procreando un apacible, tierno, caliente paisaje de joven trigo donde pueda retozar la comparsa de perros inquietantes. Su minifalda, prenda lila e inteligente, luce su cortedad debido a la largueza de las piernas que suben, firmes y generosas, y se contonean hacia las caderas, las cuales hacen flotar paso a paso la tela breve, ceñida a la cintura aún más inteligente y pequeña, de la que asciende un fuego bugambilia de escote oval ladeado quedeja libre el hombro y una media luna trigueña en la espalda. La mujer percibe de inmediato las intenciones de los perros en el magma de aquella mirada, y el hombre les habla con palabras sudorosas, los acaricia, los sosea, los detiene con la correa del espérense un poco, tranquilos, no tan abruptos, calma, eso es, sin precipitarse, vamos, vamos, y los echa, los deja ir, acercarse, galantes, platicadores, atentos, recurrentes. Al llegar a la esquina, la mujer y su apacible, tierno, caliente paisaje de joven trigo, y el hombre y su inquieta comparsa de animales atraviesan la avenida de la tarde; a lo lejos, se escuchan sus risas, los ladridos.

Guillermo Samperio. **Gente de la ciudad**. México: Fondo de Cultura Económica, 1986, pág. 105

ROSAS

Alejandra Basualto
(Chile)

Soñabas con rosas envueltas en papel de seda para tus aniversarios de boda, pero él jamás te las dio. Ahora te las lleva todos los domingos al panteón.

Alejandra Basualto. **La mujer de yeso**. Santiago de Chile: Documentas/ Literatura, 1988, pág. 80.

TOQUE DE QUEDA

Omar Lara
(Chile)

–Quédate, le dije.

Y la toqué.

Juan Armando Epple. **Brevísima relación del cuento breve de Chile**. Santiago: LAR, 1989, pág. 61

HISTORIA DE Z

Dante Medina
(México)

A Dolce allegro candoroso

A mí eso siempre me dio mala esquina claro que de ti se puede esperar eso y más para él era casi igual aunque con ella no se cuenta jamás ante nosotros es declarable pero mejor no olvidar que desde nosotras se perdió la confianza en ustedes porque según ellos eso fue hecho por ellas.

Falta que me lo aclaren a mí: de ti es vano esperar respuesta: para él es lo mismo: con ella es podermás: ante nosotros está confuso: en ustedes hay el mismo problema: según ellos quién sabe: por ellas es como si nada.

Espero que salga de ti eso que según ellos me pasó a mí, no quiero encararme con ella porque eso me obligaría a confiar en ustedes, lo que sería fatal y me harta recomenzar desde nosotras; eso nos llevaría ante nosotros y es verdad que en lo hondo se es capaz de todo por ellas.

Dante Medina. **Léérere**. México: UNAM, 1992, pág. 1992.

ANTROPOFAGIA

Jaime Valdivieso
(Chile)

Tanto se amaron Juan Luis y Luisa María que decidieron quitarse la vida.

Pero querían que el mismo amor, el deseo, la voracidad erótica fuera su cuchillo y su verdugo.

Y decidieron irse a un motel.

Allí estuvieron tres días y dos noches.

Después, nadie pudo explicarse jamás el misterio: dos esqueletos intactos sobre una cama, cubiertos aún por una delgada película de baba, como si una lengua ávida y morosa hubiese recorrido cada uno de los huesos dejándolos suaves y transparentes.

Jaime Valdivieso, **Voces de alarma**. México: Fondo de Cultura Económica, 1992, pág. 151

100

Ana María Shua
(Argentina)

Mientras Aladino duerme, su mujer frota dulcemente su lámpara maravillosa. En esas condiciones, ¿Qué genio podría resistirse?

Ana María Shua. **La sueñera**. Buenos Aires: Alfaguara, 1996, pág. 44.

CENICIENTA III

Ana María Shua

Advertidas por sus lecturas, las hermanastras de Cenicienta logran modificar, mediante costosas intervenciones, el tamaño de sus pies, mucho antes de asistir al famoso baile. Habiendo tres mujeres a las que calza perfectamente el zapatito de cristal, el príncipe opta por desposar a la que ofrece más dote.

La nueva princesa contrata escribas que consignan la historia de acuerdo con su dictado.

Ana María Shua. **Casa de geishas**. Buenos Aires: Editorial Sudamericana, 1992, pág. 76

LA QUE NO ESTA

Ana María Shua

Ninguna tiene tanto éxito como La Que No Está. Aunque todavía es joven, muchos años de práctica consciente la han perfeccionado en el sutilísimo arte de la ausencia. Los que preguntan por ella terminan por conformarse con otra cualquiera, a la que toman distraídos, tratando de imaginar que tienen entre sus brazos a la mejor, a la única, a La Que No Está.

Ana María Shúa. **Casa de geishas**. Buenos Aires: Editorial Sudamericana, 1992, pág. 31.

UN POCO MEJOR

Ethel Krauze
(México)

Estaban tan tensos que no podían hacer el amor. El motelito era el de siempre, pero él venía cargando una seria preocupación con la esposa, y ella venía cargando un fuerte disgusto con el marido. Pasaron la única tarde de la semana que estaban juntos hablando de sus temores. Se aconsejaron uno al otro cómo resolver los problemas con el cónyuge. Necesitaban que reinara la armonía en sus familias para poder tener estos encuentros felices.

El vio como debía contestarle a la esposa, ella supo cómo tranquilizaría al marido. Se despidieron sintiéndose un poco mejor.

Ethel Krauze. **Relámpagos**. México: Consejo Nacional para la Cultura y las Artes, 1995, pág. 110.

CALIDAD Y CANTIDAD

Alejandro Jodorowsky
(Chile)

No se enamoró de ella, sino de su sombra. La iba a visitar al alba, cuando su amada era más larga.

Alejandro Jodorowsky, **Sombras al mediodía**. Santiago de Chile: Dolmén Ediciones, 1995, pág. 41

DEL TIEMPO

LA HIJA DEL GUARDAAGUJAS

Vicente Huidobro

La casita del guardaagujas está junto a línea férrea, al pie de una montaña tan empinada que sólo algunos árboles especiales pueden escalonar a gatas, aferrándose con sus raíces afiladas, agarrándose a los terrones hasta llegar a la cumbre.

La casta de madera desvencijada a causa del estremecimiento constante y los fragores. La casita pequeña en un terraplén de veinte metros junto a tres líneas.

Allí vive el guardaagujas con su mujer, contemplando pasar los trenes cargados de fantasmas que van de ciudad a ciudad. Cientos de trenes, trenes del norte al sur y trenes del sur al norte. Todos los días, todos los meses, todo el año. Miles de trenes con millones de fantasmas, haciendo crujir los huecos de la montaña.

La mujer, como buena mujer, le ayuda a enhebrar los trenes por el justo camino.

La responsabilidad de tantas vidas satisfechas les ha puesto un gesto trágico en el rostro. Apenas sí pueden sonreir cuando se quedan como suspendidos mirando a su pequeña, una creatura de tres años, graciosa, delicada, con gestos de flor y de paloma.

Pasan los trenes con el fragor de hierros y largos metales arrastrados de toda una ciudad que soltara sus amarras, de tantos fantasmas desencadenados y ebrios de libertad.

La hija del guardaagujas juega entre los trenes de su montaña con una confianza aterradora. Ignora que los niños ricos de la ciudad se entretienen con unos trenes pequeñitos como ratones sobre rieles de lata. Ella posee los trenes más grandes del mundo...y ya empieza a mirarlos con desprecio.

Es un encanto de niñita. Viva, despreocupada, suelta como si no quisiera apegarse a nadie. Se diría que un tren la arrojó allí al pasar como por casualidad.

En cambio sus padres viven pendientes de ella, la contemplan, mientras todavía es tiempo, la miman, la adoran.

Ellos saben que un día la va a matar un tren.

Vicente Huidobro, «Cuentos diminutos». **La Nación**, Santiago de Chile, 5 de noviembre de 1939, p. I supl.

Tomás Rivera
(Chicano)

El abuelo quedó paralizado del cuello para abajo después del ataque al cerebro. Uno de sus nietos vino a platicar con él un día. El abuelo le preguntó que cuántos años tenía y que qué era lo que más deseaba. El nieto le contestó que tenía veinte y que lo que más quería era que pasaran los siguientes diez años de su vida inmediatamente para saber lo que había pasado con su vida. El abuelo le dijo que estaba bien estúpido y ya ni le siguió hablando. El nieto no comprendió por qué le había llamado estúpido hasta que cumplió los treinta años.

Tomás Rivera. **Y no se lo tragó la tierra**. Berkeley: Justa, 1971, pág. 57

EL SABOR DE UNA MEDIALUNA A LAS NUEVE DE LA MAÑANA EN UN VIEJO CAFE DE BARRIO DONDE A LOS 97 AÑOS RODOLFO MONDOLFO TODAVIA SE REUNE CON SUS AMIGOS LOS MIERCOLES A LA TARDE

Luisa Valenzuela
(Argentina)

Qué bueno.

Luisa Valenzuela. **Aquí pasan cosas raras**. Buenos Aires: Ediciones de la Flor, 1975, pág. 91.

PRECOCIDAD Y GENIO

René Avilés Fabila
(México)

Mozart revolucionó la música antes de los treinta años, Schubert necesitó otros tantos para dejar una huella indeleble, Radriguet a los veinte había escrito *El diablo en el cuerpo*, Rimbaud a los diecinueve, y con una obra perfecta detrás (*Las iluminaciones, Una temporada en el infierno...*), renuncia para siempre a la literatura, Napoleón Bonaparte era Primer Cónsul a los treinta, Bolívar entró en Caracas para ser proclamado Libertador a esa misma edad, a los treintaiséis Modigliani se suicidó, a los treintaidós Ernesto Che Guevara hablaba por la Revolución Cubana y Alejandro Magno falleció a los treintaitrés luego de haber conquistado el mundo de su época. En cambio, don Luis de Longoria y Silva requirió de más de setenta años (quince de estudios y treintaicinco de burocracia) para realizar su obra: al morir dejó siete hijos (tres vendedores y cuatro amas de casa), once nietos, un departamento y una casita de campo. En vida nunca reparó en que su única aportación a la humanidad fue la de aumentar su número.

René Avilés Fabila. **Los oficios perdidos**. México: UNAM, 1985, pág. 86.

DE SU NOCHE DE GRAN TRIUNFO

Eliseo Diego
(Cuba)

Ligera, soprano ligera, Carmen María Peláez parada en el escenario para cantar su noche de gran triunfo. El empresario de bigote de aceite y zapatos charolados lo ha garantizado: Caramba, Carmen, gran gala de Beras. Carmen María, coruscante y joven, cegada por las luces del proscenio, canta. !Ah, canta, canta, Carmen, canta! Y Carmen muge y trina y se desgarra. Y con el último acorde estalla la cálida salva de aplausos. Carmen María se inclina, saluda envuelta en la ola cálida, se alza. Las luces disminuyen, cede el espeso muro de sombra. La boca enorme del vasto teatro vacío y el empresario, muerto de risa, que da vueltas a la monstruosa araña, al monstruoso aparatito de aplausos. Carmen María quiere escapar, pero se encuentra aprisionada en la reciedumbre de los huesos. Se mira y es una espantosa anciana.

El cuento. Revista de imaginación, N.90 (1984), pág. 285.

EL BAILE

Pedro Orgambide
(Argentina)

Baila, mujer, gira entre los espejos que repiten tu imagen. Baila, amor, deja que tu padre mire el reloj, en vana pretensión de encerrarte en el tiempo. Baila conmigo, mientras el húsar, tu prometido, afina su bigote con un gesto feroz, mientras se acerca a mí con esa mala fiebre de los celos y me arroja su guante. Baila, baila entre los espejos, los abanicos, las mujeres, las columnas, el jarrón de la China, las medallas de los embajadores, los perfumes, los murmullos. Baila, con tus quince años apretados a mí ahora y mañana cuando avance por la niebla del bosque entre esos hombres enlutados y tristes, cuando atraviese con mi sable el corazón del húsar. Baila ahora, mujer, antes de que tu padre se desmorone como el muro que cae por el fuego de la artillería, antes que tu madre sea una mortaja blanca que se pudre en un apacible y bello cementerio al que llevas tus flores. Baila, querida, antes que las otras parejas se conviertan en humo y ya no pueda decirte amor. Baila, baila, porque ya empieza a destrozarse el cortinado, las tapicerías de la casa, ya entran los buhos por la ventana, ya los violines dejan de tocar, ya te mueres, mientras yo, veinte siglos después te recuerdo y te amo, el que baila contigo esta noche, entre los espejos que repiten tu imagen.

Edmundo Valadés. **El libro de la imaginación.** México: Fondo de Cultura Económica, 1976,pág. 84.

LA SOLEMNIDAD INTERVENIDA

Andrés Gallardo
(Chile)

De alguna manera, don Joaquín Limonado Olmos de Aguilera olió que había llegado el momento: frente a él cuajaba, nítido, el artículo de la muerte. Don Joaquín estaba preparado; se acomodó un poco, cruzó las manos sobre el pecho, abrió los ojos lo más que pudo, miró alrededor. Estaban todos. Don Joaquín, entonces, dijo «luz, más luz», sabiendo que eran unas últimas palabras estupendas, que todos estaban emocionados. Pero doña Bertita, que no tenía puestos los audífonos, preguntó '¿cómo, ¿qué dijo?'. Don Joaquín, que había sido siempre tolerante, repitió en voz más alta, claro que con un dejo de impaciencia, «luz, más luz». Doña Bertita se puso algo ansiosa. Preguntó '¿cómo, mijo?'. Don Joaquín, que ya no tenía tiempo, dijo 'ándate a la cresta'. Doña Bertita iba a preguntar '¿cómo, mijo?', cuando vio que no sacaba nada.

Andrés Gallardo, «Obituario», en **LAR** N. 6, Concepción (abril 1985), pág. 25.

C.G.V.

Andrés Gallardo

A Carlos González Vargas

En Chile hay numerosos Carlos González Vargas. Algunos se han ido muriendo y en todo caso absolutamente todos se van a morir, lo que no es óbice para que vayan a seguir naciendo otros Carlos González Vargas. Los Carlos González Vargas nacen en provincia, pero sienten un atractivo irresistible hacia Santiago y en esta ciudad se congregan y, para distinguirse unos de otros, echan mano del ingenioso recurso de ponerse un segundo nombre: por ejemplo, mi amigo Carlos González Vargas se llama oficialmente Carlos Alfonso González Vargas. Otro notable recurso diferenciador son los hipocorísticos: por ejemplo, a Carlos González Vargas le decimos también Carlitos, lo que evita toda posible confusión.

Fue así como, siguiendo su destino, Carlos González Vargas llegó a Santiago procedente de Futrono y en seguida adoptó el nombre oficial de Carlos Raúl González Vargas y años más tarde, al entrar a trabajar en el Liceo de Aplicación, adoptó el hipocorístico de Guatón, para distinguirse del entonces rector don Carlos González Vargas (Q.E.P.D.), también conocido como don Gonzalito.

Hoy he recibido, desolado, la noticia de que un camión nos atropelló a Carlos González Vargas; termina su carta mi inconsolable amigo Carlos González Vargas diciendo que son muchos los que han perdido para siempre algo de sí mismos.

Andrés Gallardo, «Obituario», en **LAR**, N. 6, Concepción (Abril 1985), pág. 25.

NOTA PARA UN CUENTO FANTASTICO

Jorge Luis Borges
(Argentina)

En Wisconsin o en Texas o en Alabama los chicos juegan a la guerra y los dos bandos son el Norte y el Sur. Yo sé (todos lo sabemos) que la derrota tiene una dignidad que la ruidosa victoria no merece, pero también sé imaginar que ese juego, que abarca más de un siglo y un continente, descubrirá algún día el arte divino de destejer el tiempo o, como dijo Poetr Damiano, de modificar el pasado.

Si ello acontece, si en el decurso de los largos juegos el Sur humilla al Norte, el hoy gravitará sobre el ayer y los hombres de Lee serán vencedores en Gettysburg en los primeros días de julio de 1863 y la mano de Donne podrá dar fin a su poema sobre las transmigraciones de un alma y el viejo hidalgo Alonso Quijano conocerá el amor de Dulcinea y los ocho mil sajones de Hastings derrotarán a los normandos, como antes derrotaron a los noruegos, y Pitágoras no reconocerá en un pórtico de Argos el escudo que usó cuando era Euforbo.

Jorge Luis Borges. **La cifra**. Buenos Aires: Emecé, 1986, pág. 33.

10

Cristina Peri Rossi

Siempre imagino que mi madre tiene nada más que veinticinco años (la edad que ella tenía cuando yo nací), de ahí que me enfurezca si la oigo arrastrar los pies, cloquear, toser, pensar como una vieja. No entiendo por qué a los veinticinco años le han salido arrugas ni me explico cómo siendo tan joven se acuesta tan temprano.

Si en algún momento de pavorosa lucidez advierto que es una vieja, tal descubrimiento me llena de horror, por lo cual trato inmediatamente de expulsar dicho conocimiento de la luz de mi conciencia, de manera que en seguida recupera sus veinticinco años.

Ella me trata a mí continuamente como si yo fuera una niña, por lo cual nos entendemos perfectamente. No insisto en crecer, porque sé que es inútil: para nosotras dos, el tiempo se ha estacionado y ninguna cosa del mundo podría hacerlo correr. Moriré de cinco años y ella de veinticinco; a nuestros funerales asistirá una muchedumbre de ancianos niños y de niños que jamás llegaron a crecer.

Cristina Peri Rossi. **Indicios pánicos**. Montevideo: Editorial Nuestra América, 1970, pág. 27.

ELIO

Humberto Mata
(Venezuela)

Elio es un estudiante y, como todo estudiante, tiene algo de autodidacta. Sin embargo, Elio no es un buen estudiante; por lo tanto, Elio no es un buen autodidacta. Y a pesar de todo, Elio es un muchacho brillantísimo en sus ideas, un joven loco para la mayoría. En un desesperado esfuerzo por salvar a Elio –no podría ahora decir de qué–, el pueblo resuelve enviarlo a la ciudad. Todas las esperanzas del pueblo se cifran entonces en Elio, en una ciudad amarilla e indiferente. Cada hombre del pueblo trabaja por Elio, y lo hace gustosamente.

Aquí llego a pensar que Elio es para el pueblo una necesidad absoluta, un motivo para la realización de algo. Me equivoco. Elio no es más que un símbolo, y estoy seguro que nadie en el pueblo lo conoce. Pero tú, que eres componente del pueblo, trabajas por él, y en tus momentos de descanso –que dudo los tengas– piensas en él, y lo ves en la ciudad cargado de libros y libretas, atravesando calles envueltas en niebla y escuchando clases en salones infinitos.

Humberto Mata. **Imágenes y conductos**. Caracas: Monte Avila Editores, 1970, pág. 43.

SIN CLAUDICAR

Pía Barros
(Chile)

A Susana Sánchez, respondiendo a su Valparaíso;
a Marjorie, también porteña.

Aquí está ella, la más barata del puerto, la del corazón grande, navegante e inconcluso para siempre, los mástiles abiertos para él, que es uno más de hombros anchos y poderosos, uno más sin afeitar y la expresión compungida de los hombres abyectos y desnudos, él, a quien ha dejado creer que la posee cuando es en realidad ella la que permite que le hunda su proa en esa pieza angosta y helada, frente al lavatorio de agua sucia y al espejo que ya ni refleja de cansancio, y que en un extremo tiene su carnet que certifica cincuenta años junto a esa guirnalda atesorada desde la última navidad en que fue niña.

Florence, Oregon, 1990

Pía Barros, **Signos bajo la piel**. Santiago de Chile: Editporial Grijalbo, 1994, pág. 35.

OSWALDT HENRY, VIAJERO

Adolfo Bioy Casares

El viaje había resultado agotador para el hombre (Oswaldt Henry) y para la máquina. Por una falla del mecanismo o por un error del astronauta, entraron en una órbita indebida, de la que ya no podían salir. Entonces el astronauta oyó que lo llamaban para el desayuno, se encontró en su casa, comprendió que la situación en la que se había visto era solamente un sueño angustioso. Reflexionó: Había soñado con su próximo viaje, para el que estaba preparándose. Tenía que librarse cuanto antes de esas imágenes que aún volvían a su mente y de la angustia en que lo habían sumido, porque si no le traerían mala suerte. Esa mañana, tal vez por la terrorífica experiencia del sueño, valoró como es debido el calor de hogar que le ofrecía su casa. Realmente le pareció que su casa era el hogar por antonomasia, el hogar original, o quizás la suma de cuanto tuvieron de hogareño las casas en que vivió a lo largo de su vida. Su vieja niñera le preguntó si algo le prepocupaba y lo estrechó contra el regazo. En ese momento de supremo bienestar, Henmry, el astronauta, entrevió una duda especulativa que muy pronto se convirtió en un desconcertante recuerdo: su vieja niñera, es claro, había muerto. «Si esto es así», pensó, «estoy soñando». Despertó asustado. Se vio en la cápsula y comprendió que volaba en una órbita de la que ya no podría salir.

Adolfo Bioy Casares. **Una magia modesta**. Buenos Aires: Temas Grupo Editorial, 1998, pp. 71–72.

DE RITOS
Y TRANSFORMACIONES

LA VIDA ES UNA CAJA DE CURIOSIDADES

Miguel Angel Asturias
(Guatemala)

Desengañada, después de todo, había logrado olvidar a Don Juan. Después de todo, como es natural, de llorarle mucho, de mucho desearle, de soñarle mucho, de esperarle mucho. Desengañada había dado en el basurero romántico de su familia –un armario viejo– con los paquetes de cartas y las flores sin color, trofeos ganados en los días de emancipación. Después de todo, se reconvenía ella sola, forzoso es saber que amando se emancipa, se emancipa una de sí misma, de la monotonía que es una, de la vida que sin amor es un monólogo dicho por un fonógrafo al que se le está concluyendo la cuerda. Sin piedad ni pena. Desengañada, bajo el peso de las cartas viejas y las flores secas, enterró el retrato de su amante, un retrato de cuerpo entero, un pedacito de uña y un mechón de cabellos negros como la tempestad.

Aparte de las cosas materiales, Desengañada se había desprendido de los recuerdos espirituales en un olvido sano y bondadoso, en un qué se ha de hacer. Y todo yacía olvidado, como se dice en estos casos, cuando, en el lugar menos apropiado, inesperadamente, Desengañada recordó a Don Juan. ¿Fue en el teatro al oír el choque de dos espadas rivales, al escuchar la música de una serenata de mandolinas; o al ver caer la nieve? ¿Fue en la estación de ferrocarril donde los rieles parecen las miradas de dos ojos que se van quedando atrás? ¿Fue en el cine donde entre cuadro y cuadro hay a veces besos que no concluyen nunca? No, la vida es una caja de curiosidades. Desengañada recordó a su amante en la iglesia. Jamás estuvo con él en la santa casa del señor y sin embargo... y sin embargo ¿qué?... en ella lo recordó.

Lo recordó por necesidad de confesión. El sacerdote preguntóle sus culpas y ella principió a deshacerse de sus pecados de colegiales: mentiras, murmuraciones, malos pensamientos, robos insignificantes. En el oído del sacerdote por virtud del sacramento se borraban los pecados. De improviso Desengañada sintió el corazón en los labios. Intencionalmente había olvidado su más grande culpa para decirla el último. El confesor la llamó al orden porque tartamudeaba...Desengañada se repuso y la dijo.

Concluída la confesión, el sacerdote, abundante en citas catequísticas, la absolvió, ordenándole larga penitencia y mucha caridad, pero Desengañada no pudo comulgar: en aquel sitio había recordado a Don Juan de tal manera que le parecía más pecado el recuerdo que el hecho mismo, con ser que según el confesor, por el hecho se había rebajado a bestezuela vil y miserable.

Y esa fue la última vez que Desengañada recordó a Don Juan y la primera que acusó el tercer pecado capital.

Miguel Angel Asturias. **Viajes, ensayos y fantasías**. Buenos Aires: Losada, 198l, pág. 316–17.

DIALOGOS

Alejandra Pizarnik
(Argentina)

–Esa de negro que sonríe desde la pequeña ventana del tranvía se asemeja a madame Lamort –dijo.

–No es posible, pues en París no hay tranvías. Además, ésa de negro del tranvía en nada se asemeja a madame Lamort. Todo lo contrario: es madame Lamort quien se asemeja a ésa de negro. Resumiento: no sólo no hay tranvías en París sino que nunca en mi vida he visto a madame Lamort, ni siquiera en retrato.

–Usted coincide conmigo –dijo– porque tampoco yo conozco a madame Lamort.

–¿Quién es usted? Deberíamos presentarnos.

–Madame Lamort –dijo–. ¿Y usted?

–Madame Lamort.

–Su nombre no deja de recordarme algo –dijo.

–Trate de recordar antes de que llegue el tranvía.

–Pero si acaba de decir que no hay tranvías en París –dijo.

–No los había cuando lo dije pero nunca se sabe qué va a pasar.

–Entonces esperémoslo puesto que lo estamos esperando –dijo.

DEVOCION

Alejandra Pizarnik

Debajo de un árbol, frente a la casa, veíase una mesa y sentadas a ella, la muerte y la niña tomaban el té. Una muñeca estaba sentada entre ellas, indeciblemente hermosa, y la muerte y la niña la miraban más que al crepúsculo, a la vez que hablaban por encima de ella.

–Toma un poco de vino –dijo la muerte.

La niña dirigió una mirada a su alrededor, sin ver, sobre la mesa, otra cosa que té.

–No veo que haya vino –dijo.

–Es que no hay –contestó la muerte.

–¿Y por qué dijo usted que había? –dijo.

–Nunca dije que hubiera vino sino que tomes –dijo la muerte.

–Pues entonces ha cometido usted una incorrección al ofrecérmelo –respondió la niña muy enojada.

–Soy huérfana. Nadie se ocupó de darme una educación esmerada –se disculpó la muerte.

La muñeca abrió los ojos.

Publicados originalmente en **Mundo Nuevo** N.7, París, 1967, bajo el título de «Pequeñas Prosas»

REQUIEM

Adolfo Couve

Entréme hoy al amparo de la parodia. Un amigo tiene un empleo de cartón frente a mil butacas. Faltaba un abanicador del faraón y feliz entré al servicio de tan benéfico señor. Puedo ver en sus mejillas el poder pintado con tiza y estoy finalmente en paz.

Cuando dicho ser desenvaina su espada y me grita: ¡Cobarde, has de morir!, yo brinco a ponerme a sus pies y él confiado descarga el arma de goma en mis entrañas. Entonces salto de dolor fingido y voy a dar al pie de un sillón y allí, a la vista de todos, muero. La escena continúa y yo abro un ojo y vivo otra vida fuera de ésta que perdí por traidor y por deslealtad para con el faraón, al que vengo recién conociendo. Cuando el muchacho se retira, los pliegues de la cortina cerrada son arenas y el azul de sus contornos se me vuelve mar interior a mi locura.

Sólo así puedo volver al tiempo de mi primera seriedad y entonces, olvidando con quiénes, reconozco los sitios; juego a redescubrir el eterno abrazo del mar y las arenas y cómo escancia el esmeralda a raudales. Del viento observo todos sus movimientos...,casi olvido que estoy tendido aquí entre bastidores esperando me paren a palos para la actuación de mañana. Hoy al menos se han ido y en la cortina cerrada veo y tomo el peso del mundo al cual me entregué con tal arrojo que me perdí en un mes para siempre. ¡Por mi presente ninguno quiere apostar!

Adolfo Couve, **En los desórdenes de junio**. Santiago de Chile: Zig–Zag, 1970, pp. 57–58.

ARGUMENTO PARA UN PUEBLO DE VERDUGOS

Gabriel Jiménez Emán
(Venezuela)

Un hombre inocente es condenado a muerte por un pueblo. El tribunal decide hacerlo decapitar a la vista de todos.

En el momento de la ejecución, el verdugo se siente culpable y se lo dice al pueblo. El pueblo, alarmado y confuso, propone decapitar al verdugo.

De la misma forma el nuevo verdugo, en el momento de decapitar al antiguo verdugo, se siente culpable y se lo dice al pueblo.

Así, ya no parece quedar nadie más en el pueblo que se atreva a ser verdugo de verdugos inocentes.

Por fin, un hombre se ofrece voluntariamente a hacer de verdugo, y en el momento de la ejecución desvía el hacha hacia la cabeza del gobernador y lo decapita en nombre del pueblo.

El valeroso hombre resulta ser después hermano del primer hombre inocente, que es a su vez el único verdugo culpable.

Gabriel Jiménez Emán. **Los dientes de Raquel**. Mérida, Venezuela: Editorial La Draga y el Dragón, 1973, p. 57–8.

NO ES ORO TODO LO QUE RELUCE

Raquel Jodorowsky
(Chile)

En los tiempos de antes, el Elefante era una flor masculina.

Un día los pétalos comenzaron a pensar en su tamaño.

Al cielo no le pareció nada bien que un floro razonara por su cuenta.

Y lo castigó convirtiéndolo en carne para siempre.

Raquel Jodorowsky. **Cuentos para cerebros detenidos. Con Licencia de los superiores.** Buenos Aires: Ediciones de la Flor, 1974, pág. 17. Reprod. en **Plural**, 157, México (Octubre 1984), pág. 43.

QUEDO HECHO EL DEPOSITO DE LEY

Raquel Jodorowsky

La mamá le decía que era su joya.

Una noche el enano comenzó a sospechar, sobre todo cuando ella le vertía oro derretido sobre el cuerpo.

El enano se hacía el dormido. Levantaba un solo párpado, pues el otro se le había quemado.

La mamá le cantaba:

Hijo reluciente de mi corazón
serás el adorno perfecto
en mi solapa de visón.

No se entendía por qué el enano se movía cada vez menos.

Hasta que un día los costados de la cama lo apretaron. Tenía unos garfios amarillos sobre el pecho y la boca llena de perlas y le era muy difícil llamar a su mamá.

Pasaba largos meses encerrado en un cajón de terciopelo.

De pronto le cegaba otra vez la luz. Lo que más le llenaba de alegría eran estos momentos, cuando su adorada mamá le pasaba una franela para sacarle brillo y luego lo prendía a su abrigo.

!Ah, cómo es de bello el otoño!

Raquel Jodorowsky. **Cuentos para cerebros detenidos. Con licencia de los superiores**. Buenos Aires: Ediciones de La Flor, 1974. pág. 15. Reprod. en **Plural**, 157, (Octubre 1984), pág. 43–4.

LO CRUDO Y LO COCIDO

Luisa Valenzuela

Nuestro Landrú no mata a las mujeres, tan sólo las come con los ojos mientras ellas pasean por la calle Florira. Le resultan así más apetitosas que si estuvieran asadas. No siempre la cocción mejora las vituallas.

Luisa Valenzuela. **Libro que no muerde**. México: UNAM, 1980, pág. 158.

LA COSA

Luisa Valenzuela

El, que pasaremos a llamar el sujeto, y quien estas líneas escribe (perteneciente al sexo femenino) que como es natural llamaremos el objeto, se encontraron una noche cualquiera y así empezó la cosa. Por un lado porque la noche es ideal para comienzos y por otro porque la cosa siempre flota en el aire y basta que dos miradas se crucen para que el puente sea tendido y los abismos franqueados.

Había un mundo de gente pero ella descubrió esos ojos azules que quizá –con un poco de suerte– se detenían en ella. Ojos radiantes, ojos como alfileres que la clavaron contra la pared y la hicieron objeto –objeto de palabras abusivas, objeto del comentario crítico de los otros que notaron la velocidad con la que aceptó al desconocido. Fue ella un objeto que no objetó para nada, hay que reconocerlo, hasta el punto que pocas horas más tarde estaba en la horizontal permitiendo que la metáfora se hiciera carne en ella. Carne dentro de su carne, lo de siempre.

La cosa empezó a funcionar con el movimiento de vaivén del sujeto que era de lo más proclive. El objeto asumió de inmediato –casi instantáneamente– la inobjetable actitud mal llamada pasiva que resulta ser de lo más activa, recibiente. Deslizamiento de sujeto y objeto en el mismo sentido, confundidos si se nos permite la paradoja.

Luisa Valenzuela. **Libro que no muerde**. México: UNAM, 1980), pág.129.

Margo Glantz
(México)

PERSONAJE PRINCIPAL: EL CABALLERO ANDANTE EN AUTOMOVIL, a quien acompaña la doncella (de sexualidad monárquica como la de las sultanas que reviven los sueños de Harún al Raschid en sus viajes por Bagdad, Basona y Córdoba, lejana y sola entre los presagios de sus mezquitas). También actúan –indistintamente– Buster Keaton o Groucho Marx porque Harpo podría caer en el silencio

acotación escénica: este acto sucede en el amplio mar y la punta de un mástil desde donde se contemplan las traiciones: no hay telón, nos basta el cielo

el barroquismo se trueca en churrigueresco cuando el (sobrio) melodrama cuenta la historia del viaje de un poeta de segunda generación cuya madre tocaba el piano y cuyo padre fue ebanistero

nació entre las notas que Claudio Arrau le arrancaba patéticamente al teclado (tocando la Apassionnata o el estudio revolucionario de Georges Sand)

Margo Glantz. **Síndrome de naufragios**. México: Joaquín Mortiz, 1984, pág. 62.

LA EXPRESION

Mario Benedetti
(Uruguay)

Milton Estomba había sido un niño prodigio. A los siete años ya tocaba la Sonata Núm.3, Op.5, de Brahms, y a los once, el unánime aplauso de crítica y de público acompañó su serie de conciertos en las principales capitales de América y Europa.

Sin embargo, cuando cumplió los veinte años, pudo notarse en el joven pianista una evidente transformación. Había empezado a preocuparse desmesuradamente por el gesto ampuloso, por la afectación del rostro, por el ceño fruncido, por los ojos en éxtasis, y otros tantos efectos afines. El llamaba a todo ello «su expresión».

Poco a poco, Estomba se fue especializando en «expresiones». Tenía una para tocar la *Patética*, otra para *Niñas en el Jardín*, otra para la *Polonesa*. Antes de cada concierto ensayaba frente al espejo, pero el público frenéticamente adicto tomaba esas expresiones por espontáneas y las acogía con ruidosos aplausos, bravos y pataleos.

El primer síntoma inquietante apareció en un recital de sábado. El público advirtió que algo raro pasaba, y en su aplauso llegó a infiltrarse un incipiente estupor. La verdad era que Estomba había tocado *la Catedral Sumergida* con la expresión de *la Marcha Turca.*

Pero la catástrofe sobrevino tres meses más tarde y fue calificada por los médicos de amnesia lagunar. La laguna en cuestión correspondía a las partituras. En un lapso de veinticuatro horas, Milton Estomba se olvidó para siempre de todos los nocturnos, preludios y sonatas que habían figurado en el amplio repertorio.

Lo asombroso, lo realmente asombroso, fue que no olvidara ninguno de los gestos ampulosos y afectados que acompañaban cada una de sus interpretaciones. Nunca más pudo dar un concierto de piano, pero hay algo que le sirve de consuelo. Todavía hoy, en las noches de los sábado, los amigos más fieles concurren a su casa para asistir a un mudo recital de sus «expresiones». Entre ellos es unánime la opinión de que su capolavoro es la *Appasionata.*

Mario Benedetti. **Cuentos completos.** Madrid: Alianza Editorial, 1986, pág.403–4.

SANGRE Y ARENA

René Avilés Fabila

Bajó la cabeza apuntando los cuernos hacia el cuerpo de su enemigo. Bufaba al tiempo que con su pata derecha rascaba violentamente la tierra. Estaba rabioso y del hocico salían espumarajos. De una sola y brutal cornada quería acabar con el hombre que asustado lo miraba. Con toda la fuerza que le fue posible atacó. Uno de los pitones alcanzó el vientre atravesando órganos vitales; el tipo cayó al suelo, agonizaba. La esposa del astado gritó al contemplar la escena. Su marido triunfante miraba a la víctima desangrarse. Después intervinieron los vecinos y al final la policía. Recogieron el cadáver y el esposo ofendido fue a la cárcel. Además de cornudo, asesino, dijo el juez al darle veinte años de trabajos forzados.

René Avilés Fabila. **Los oficios perdidos**. México: UNAM, 1985, pág. 81.

APUNTES PARA SER LEIDOS POR LOS LOBOS

René Avilés Fabila

El lobo, aparte de su orgullosa altivez, es inteligente, un ser sensible y hermoso con mala fama, acusaciones y calumnias que tienen más que ver con el temor y la envidia que con la realidad. El está enterado, mas no parece importarle el miserable asunto. Trata de sobrevivir. Y observa al humano: le parece abominable, lleno de maldad, cruel; tanto así que suele utilizar proverbios tales como: «Está oscuro como boca de hombre», para señalar algún peligro nocturno, o «El lobo es el hombre del lobo», cuando este animal llega a ciertos excesos de fiereza semejante a la humana.

René Avilés Fabila. **Los oficios perdidos**. México: UNAM, 1985, pág. 56.

LA GUARDADORA DE SECRETOS

Norma Aleandro
(Argentina)

Llenaba de secretos sus enormes orejas por el puro placer de recontarlos de noche y jurarse, solemnemente, con peligro de muerte, el solo pensamiento de difundirlos.

Esta costumbre incentivaba en otros la costumbre antigua de contar secretos peligrosos que dejaban sin aliento al mismo diablo. Prometía olvidarlos, no sólo oírlos; pero no es verdad eso primero que acabo de decir. No podía olvidar, porque en el recuerdo de tenerlos para no decirlos consistía su secreto juego.

Un día de lluvia dejó de tender su cama a la mañana, para oír un misterioso asunto de unos amores a bordo de un crucero que navegaba con viento de través y sin sextante, y que acabó naufragando por ojo en la bajada del río Orinoco. Y de resultas de este acontecimiento, como vinieron unos a traspasar una herencia de cafetales y monedas de oro a manos no legalmente apropiadas.

Otro día de junio del año del Señor, teniendo ya dispuesta el agua dentro de la tina, no llegó a bañarse, por atender el relato de una vieja leprosa y perfumada que narraba, silbando las vocales, como un delincuente de robos y muertes de arma blanca, con nombre falso, había jurado falsamente, sobre una falsa Biblia, un verdadero puesto de mando en el gobierno.

Y así fue abandonando lo que llamaba tonterías, como peinarse, sacarse el camisón, abrir los postigos, cocinarse y barrer el suelo, salir y ver el sol, por oír los secretos que tan celosamente sabía guardar, pero que no olvidaba.

Llegó a tener ochenta y nueve mil, y la mirada ciega de los santones, y de los simples, y de los guardadores de secretos.

Norma Aleandro. **Poemas y cuentos de Atenázor**. Buenos Aires: Editorial Sudamericana, 1985, pp.79–80.

PERRO

Gerardo Mario Goloboff
(Argentina)

Tal vez lo crea Homero porque no le conviene a ninguno de sus personajes humanos para reconocer a Ulises al regresar a Itaca. O quizás él mismo lo recoja de cantos anteriores. El hecho es que, desde entonces, la leyenda continúa.

El viejo Brueghel lo supone delgado y huesudo, ubicándolo en medio de otros seres no menos fantasmales. Jack London lo imagina en combates fabulosos, mientras algunos crédulos comienzan a afirmar que es gran amigo de los hombres (o de las mujeres, para Chejov).

Se lo invoca en rezos, al lado de San Roque o, más pagano, ladrándole al cielo en noches de luna.

Entrado el siglo XX, solitarias viejitas francesas conversan con la especie, mientras el animal (se dice) las acompaña a tomar el té.

Puede que, en este caso, el mito sobreviva. Son infinitas sus quiméricas razas y, además, tienen cola.

En **Puro cuento** N°14 (Enero–Febrero de 1989), pág. 12.

EL SUEÑO DEL FORASTERO

Iván Egüez
(Ecuador)

Después de trocar prendas con mendigos y sirvientes, el Rey logró salir disfrazado de palacio. Escapó en busca del alivio que no pudieron darle los médicos reales. Deambuló por extramuros y arrabales en busca de un curandero que lo sanara de su dolencia: la de no poder soñar como el resto de los mortales. Tropezó con un carnicero al que confió sus afanes: Tengo todas las joyas del Rey para quien logre librarme del impedimento de soñar, dijo al carnicero mientras le enseñaba la alforja llena de alhajas. El matarife lo hizo pasar a la trastienda, lo hizo sentar en una silla de piedra, lo amarró y le pidió que no abriera los ojos hasta que regresara. El Rey escuchó unos ruidos metálicos y no pudo precisar si era el simple roce de cacharros o el afilar de la cuchillería. Oyó crujir una puerta, luego unos pasos lentos, pesados, de alquien que se acercaba. Era el carnicero portando un balde de agua fría; lo zampó al rostro del forastero; éste, al abrir los ojos asustado, se vio bajo el árbol donde se había puesto a descansar junto a su alforja de trufas y bellotas.

Iván Egüez. **Historias leves**. Quito: Abrapalabra Editores, 1994, pág. 13.

TRECE

Pía Barros

Me encantas, bruja, en tu vuelo nocturno. Así le dijo, lo que siempre había querido escuchar. Pero siguió de largo. Era el día de los malos augurios.

Pía Barros. **A horcajadas**. Santiago de Chile: Mosquito Editores, 1990, pág. 63.

DE EXTRAÑOS SUCESOS

LA JOVEN DEL ABRIGO LARGO

Vicente Huidobro

Cruza todos los días la plaza en el mismo sentido.

Es hermosa. Ni alta ni baja, tal vez un poco gruesa. Grandes ojos, nariz regular, boca de fruta madura que azucara el aire y que no quiere caer de la rama.

Sin embargo, tiene un gesto amargado y siempre lleva un abrigo largo y suelto. Aunque haga un calor excepcional. Esa prenda no cae jamás de su cuerpo. Invierno y verano, más grueso o más delgado, siempre el sobretodo como escondiendo algo. ¿Es que ella es tímida? ¿Es que tiene vergüenza de tanta calle inútil?

¿Ese abrigo es la fortaleza de un secreto sentimiento de inferioridad? No sería raro. Por eso tiene un estilo arquitectónico que no sabría definir, pero que, seguramente, cualquier arquitecto conoce.

Tal vez tiene el talle muy alto o muy bajo, o no tiene cintura. Tal vez quiere ocultar un embarazo demasiado largo, de algunos años. O será para sentirse más sola o para que todas sus células puedan pensar mejor. Saborea un recuerdo adentro de ese claustro lejos del mundo.

Acaso quiere sólo ocultar que su padre cometió un crimen cuando ella tenía quince años.

En **Antología**, edición de Eduardo Anguita (Santiago: Zig-Zag, 1945), pág. 180. También en **Obras completas**, ed. de Hugo Montes, Tomo I (Santiago de Chile: Editorial Andrés Bello, 1976). pág.909

DEL ESPEJO. 2

Eliseo Diego

Aquella noche, mientras se arreglaba la corbata de etiqueta, pensó por centésima vez si el gran espejo de su escaparate no sería, en realidad, una puerta. Medio en broma alargó una pierna y no encontró obstáculo. Entró en el espejo de costado, con el gesto inconsciente de quien se desliza. La excesiva solicitud de su imagen debió prevenirlo, pero ¿quién piensa en su imagen a no ser como un sirviente, cuya fidelidad no se discute? Ni siquiera pensó en ello.

Su etiqueta era de invierno, pero en el corredor del espejo hacía un calor sofocante. «Iré hasta el recodo» –se dijo, hasta el recodo que siempre imaginó que ocultaría las vistas distintas y asombrosas. (La coincidencia se agotaría en los dos aposentos: el del espejo y el suyo. Más allá comenzaría el asombro).

Llegó hasta el recodo y lo dobló, como era su propósito. Entonces vino lo horrible: su imagen, que se había deslizado afuera y lo acechaba oculta detrás del escaparate, alzó la silla y la arrojó contra el espejo. Mientras se astillaba y venía abajo pareció que la víctima agitaba sus brazos con angustia, allá en el fondo.

El asesino terminó de arreglarse la corbata y se alejó sonriendo.

Divertimentos. La Habana: Ediciones Orígenes, 1946.
Eliseo Diego. **Poesía y prosa selectas**. Caracas: Biblioteca Ayacucho, 1991, pp. 239–240.

FLASH

Juan José Arreola

Londres, 26 de noviembre (AP).—Un sabio demente, cuyo nombre no ha sido revelado, colocó anoche un Absorsor del tamaño de una ratonera en la salida de un túnel. El tren fue vanamente esperado en la estación de llegada. Los hombres de ciencia se afligen ante el objeto dramático, que no pesa más que antes, y que contiene todos los vagones del expreso de Dover y el apretado número de las víctimas.

Ante la consternación general, el Parlamento ha hecho declaraciones en el sentido de que el Absorsor se halla en etapa experimental. Consiste en un cápsula de hidrógeno, en la cual se efectúa un vacío atómico. Fue planeado originalmente por Sir Acheson Beal como arma pacífica, destinada a anular los efectos de las explosiones nucleares.

Juan José Arreola. **Confabulario total [1941–1961**. México: Fondo de Cultura Económica, 1962), pág. 20.

40

Cristina Peri Rossi

Cuando los alfiles se rebelaron, el campo quedó sembrado de peones desvanecidos; las torres corrieron a refugiarse en los tamarindos y un caballo, despavorido, vagaba por el camino, ciego de los dos ojos y perdiendo sangre por los oídos. Los peones restantes prepararon en vano una celada: murieron junto al arroyo y solamente el otro caballo parecía resistir. El último embate enemigo dio por tierra con el rey que huía– como casi todos los reyes– dando la espalda. Cuando la reina, majestuosa y trágica, quedó sola en el camino, uno de los alfiles se le subió a la espalda y el otro, con un toque de lanza, la derrumbó. Sobre ella gozaron toda la mañana, hasta que, aburridos, la abandonaron junto a la casilla número cinco.

Cristina Peri Rossi. **Indicios pánicos**. Montevideo: Nuestra América, 1970, pág. 112.

LA BAILARINA Y EL SENO

Alfonso Alcalde

Una bailarina que practicaba en público el desnudo total, llevada por un exceso de entusiasmo dejó caer un seno en el escenario. Luego invitó al más curioso de los espectadores a mirar por ese ojo prohibido. En el fondo de la pieza estaba tejiendo una señora de edad de aspecto respetable. Afuera llovía sin consuelo y hasta se escuchaba un piano triste, blando, sonando muy bajo, suave como si tuviese frío, lo que no era efectivo.

El cuento. Revista de imaginación, N.90 (1984), pág.323.

EL DINOSAURIO

Augusto Monterroso

Cuando despertó, el dinosaurio todavía estaba allí.

En Edmundo Valadés, **El libro de la imaginación**. México: Fondo de Cultura Económica, 1976, pág. 12.

LA PERRICHOLI

Enrique Anderson–Imbert
(Argentina)

En el convento veneraban a la Madre Micaela Villegas como a una santa, exageración que ofendía su modestia.

–¡Ustedes van a acabar por convertirme en una leyenda!– protestaba.

Inútil. Las monjas, oyendo esas virtuosas protestas, la admiraban aún más; y unas novicias se dispusieron a festejarle los cien años, convencidas de que su salud centenaria era otra prueba de que Dios la estaba favoreciendo. Llegó el día del cumpleaños. En ese amanecer del 21 de setiembre de 1765– virreinaba entonces Manuel de Amat y Junient– la Madre Micaela se despertó con una extraña sensación: dientes nuevos crecían en las encías desiertas; de la cofia se derramaba una negra cabellera; los ojos volvían a ver un mundo nítido; la piel se estiró, fresca, suave; el cuerpo recobró las curvas de sus diecisiete años...Temerosa de que este mero rejuvenecimiento fuera mal interpretado como milagro de santos, la Madre Micaela se disfrazó de mestiza, se escapó del convento y con sagrados contoneos marchó hacia Lima.

Enrique Anderson–Imbert. **Cuentos en miniatura**. Caracas: Editorial Equinoccio, 1976, pág. 165.

SOBRE LAS OLAS

José Emilio Pacheco
(México)

La anciana me encargó la compostura del reloj: pagaría el triple si yo lo entregaba en unas horas. Era un mecanismo muy extraño, al parecer del siglo XVIII. En la parte superior un velero de plata navegaba al ritmo de los segundos. No me costó trabajo repararlo. Por la noche toqué en la dirección indicada. La misma anciana salió a abrirme. Tomé asiento en la sala. La mujer le dio cuerda al reloj. Y ante mis ojos su cuerpo retrocedió en el tiempo y en el espacio. Recuperó su belleza –la hermosura de la hechicera condenada siglos atrás por la Inquisición–, subió al barco de plata que zarpó de la noche y se alejó del mundo.

Atribuído inicialmente a «Bernard M. Richardson», aparece bajo esta autoría en la antología de Edmundo Valadés **El libro de la imaginación**. México: Fondo de Cultura Económica, 1976, pág. 183

THE CANARY MURDER CASE II

Julio Cortázar

Es terrible, mi tía me invita a su cumpleaños, yo le compro un canario de regalo, llego y no hay nadie, mi almanaque es defectuoso, al volver el canario canta a chorros en el tranvía, los pasajeros entran en amok, le saco boleto al animal para que lo respeten, al bajarme le doy con la jaula en la cabeza a una señora que se vuelve toda dientes, llego a casa bañado en alpiste, mi mujer se ha ido con un escribano, caigo rígido en el zaguán y aplasto al canario, los vecinos claman por la ambulancia y se lo llevan en una tablita, me quedo toda la noche tirado en el zaguán comiéndome el alpiste y oyendo el teléfono en la sala, debe ser mi tía que llama y llama para que no vaya a olvidarme de su cumpleaños, ella siempre cuenta con mi regalo, pobre tía.

Julio Cortázar. **Ultimo round**. Vol. 2. México: Siglo XXI, 1980, pág. 253.

AL MAYOR LAWRENCE ANDREWS GOBERNADOR DE REGULUS UNICO HEROE ETERNO

Alvaro Menén Desleal

¡Valiente título el que me he ganado!

Porque yo, en lo particular, ya he perdido la paciencia, y estoy francamente harto de cometas extraviados de seres gelatinosos de constelaciones lactosas, de estrellas múltiples y de piernas de bailarina de papel (sin mencionar ese polvillo cósmico de todos los diablos, al que soy alérgico) y lo único que ansío es regresar a la Tierra, lo que, tardando mucho, no pasaría, según el calculador, de once o doce millones de años. Entonces le voy a romper las narices al ingeniero Leroy, así me deje cesante y tenga que retrasar mi matrimonio por falta de trabajo. Al fin y al cabo, Elizabeth ya esperó lo más.

El cuento. Revista de imaginación, N.84 (Noviembre–Diciembre de 1980), pág. 428.

REENCUENTRO

Luis Fayad
(Colombia)

La mujer le dejó saber con la mirada que quería decirle algo. Leoncio accedió, y cuando ella se apeó del bus él hizo lo mismo. La siguió a corta pero discreta distancia, y luego de algunas cuadras la mujer se volvió. Sostenía con mano firme una pistola. Leoncio reconoció entonces a la mujer ultrajada en un sueño y descubrió en sus ojos la venganza.

–Todo fue un sueño –le dijo–. En un sueño nada tiene importancia.

–Depende de quien sueñe –dijo la mujer–. Este también es un sueño.

En **Puro cuento** N.14 (Enero–Febrero de 1989), pág. 40.

EL UNIVERSO VISTO POR EL OJO DE LA CERRADURA

Eduardo Galeano

En clase, Elsa y Ale se sentaban juntas. En los recreos caminaban por el patio tomadas de la mano. Compartían los deberes y los secretos, las travesuras.

Una mañana Elsa dijo que había hablado con su abuela muerta.

Desde entonces, la abuela les mandó mensajes con frecuencia. Cada vez que Elsa hundía la cabeza en el agua, escuchaba la voz de la abuela.

Al tiempo, Elsa anunció:

–Dice la abuela que vamos a volar.

Lo intentaron en el patio de la escuela y en la calle. Corrían en círculos o en línea recta, hasta caer extenuadas. Se dieron unos cuantos porrazos desde los pretiles.

Elsa sumergió la cabeza y la abuela le dijo:

–Van a volar en el verano.

Llegaron las vacaciones. Las familias viajaron a balnearios diferentes.

A fines de febrero, Elsa volvía con sus padres a Buenos Aires. Ella hizo detener el coche ante una casa que no había visto nunca.

Ale abrió la puerta.

–¿Volaste? –preguntó Elsa.

–No –dijo Ale.

–Yo tampoco –dijo Elsa.

Se abrazaron llorando.

Eduardo Galeano. **Días y noches de amor y de guerra**. Barcelona: Editorial Laia, 1981, pág. 26.

CIERTA INDIVIDUALIDAD

Magaly Martínez Gamba
(Cuba)

Trataron de podarle a diario el arbolito que le había crecido en la parte superior del homóplato, pero desistieron al notar que volvía a crecer como una planta bien cuidada.

Nunca antes del árbol la habían tomado en cuenta. Sin embargo, un vegetal es un organismo que en el cuerpo posee cierta individualidad; su presencia rompe la curva del hombro e incita a la sorpresa y todos deseaban saber lo que le había sucedido.

No sé, respondía ella, acompañando la voz con un alzamiento de hombros que hacía subir y bajar el arbolito.

Asustados por la invasión vegetal, insistieron en interrogarla con la esperanza de que dijera algo, de que tomara interés en arrancar aquella planta, cabeza de playa, que se esparcía lenta pero inexorablemente por la superficie de su cuerpo, y ella sólo levantaba los hombros cuajados de verdor.

Impotentes, la veían mover los ojos sin que aportara una señal precisa para orientar a los médicos que se declararon incapaces de curarla. La luz, tal vez el aire, dijeron como última alternativa, serían la causa de aquellas ramificaciones, y tomaron la decisión de recluirla en un cuarto que se hallaba en el traspatio de la casa. Que no le queme el sol, habían opinado, que se alimente sólo de carne, el agua hay que dársela con medida. Y la encerraron, abriendo apenas la puerta para introducir los alimentos prescritos ya de noche, cuando no se la veía.

Llegada la hora de evaluar los resultados del tratamiento, abrieron la puerta. Una espesa selva en miniatura invadía aquel cuarto.

Magaly Martínez Gamba. **Los filos**. México: Ediciones El Tucán de Virginia, 1981, pág. 37.

LOS BOMBEROS

Mario Benedetti

Olegario no sólo fue un as del presentimiento, sino que además siempre estuvo muy orgulloso de su poder. A veces se quedaba absorto por un instante, y luego decía: «Mañana va a llover». Y llovía. Otras veces se rascaba la nuca y anunciaba: «El martes saldrá el 57 a la cabeza». Y el martes salía el 57 a la cabeza. Entre sus amigos gozaba de una admiración sin límites.

Algunos de ellos recuerdan el más famoso de sus aciertos. Caminaban con él frente a la Universidad, cuando de pronto el aire matutino fue atravesado por el sonido y la furia de los bomberos. Olegario sonrió de modo casi imperceptible, y dijo: «Es posible que mi casa se esté quemando».

Llamaron un taxi y encargaron al chófer que siguiera de cerca a los bomberos. Estos tomaron por Rivera, y Olegario dijo: «Es casi seguro que mi casa se está quemando». Los amigos guardaron un respetuoso y afable silencio; tanto lo admiraban.

Los bomberos siguieron por Pereyra y la nerviosidad llegó a su colmo. Cuando doblaron por la calle en que vivía Olegario, los amigos se pusieron tensos de expectativa. Por fin, frente mismo a la llameante casa de Olegario, el carro de bomberos se detuvo y los hombres comenzaron rápida y serenamente los preparativos de rigor. De vez en cuando, desde las ventanas de la planta alta, alguna astilla volaba por el aire.

Con toda parsimonia, Olegario bajó del taxi. Se acomodó el nudo de la corbata, y luego, con un aire de humilde vencedor, se aprestó a recibir las felicitaciones y los abrazos de sus buenos amigos.

Mario Benedetti. **Cuentos completos**. Madrid: Alianza Editorial, 1986, pág. 402

ROTATIVO

Carlos Olivárez
(Chile)

Antes de revisar la maleta desconectó la alarma electrónica. Volvió a subir al auto y puso la llave en el contacto. No tenía ninguna razón para disimular el tic que le hacía palpitar el ojo izquierdo. Giró la llave y como todos los días no hubo ninguna explosión.

Carlos Olivárez, ed. **Nueva York II**. Santiago de Chile: Galinost, 1987.

QUIZAS APENDICITIS

Ana María Shua

Operación de rutina. A la altura de la vesícula biliar, el bisturí tropieza con un obstáculo impenetrable a su filo eléctrico. Con las dos manos, el cirujano extrae una perla gigantesca que muestra, entre los hilos rojos, su brillo de nácar. El equipo de cardio se distrae por un momento, el anestesista mismo parece encandilado. Entonces, en forma repentina, se cierran las valvas del paciente. Después, empieza la digestión.

Ana María Shua. **Casa de geishas**. Buenos Aires: Editorial Sudamericana, 1992, pág. 221

PROGRAMA DE ENTRETENIMIENTOS

Ana María Shua

Es un programa de juegos por la tele. Los niños se ponen zapatillas de la marca que auspicia el programa. Cada madre debe reconocer a su hijo mirando solamente las piernitas a través de una ventana en el decorado. El país es pobre, los premios son importantes. Los participantes se ponen de acuerdo para ganar siempre. Si alguna madre se equivoca, no lo dice. Después, cada una se lleva al hijo que eligió, aunque no sea el mismo que traía al llegar. Es necesario mantener la farsa largamente porque la empresa controla con visitadoras sociales los hogares de los concursantes. Hay hijos que salen perdiendo, pero a otros el cambio les conviene. También se dice que algunas madres hacen trampa, que se equivocan adrede.

Ana María Shua. **Casa de geishas**. Buenos Aires: Editorial Sudamericana, 1992, pág. 171

LOS JUGUETES

Luis Britto García

El tío saca a pasear a Micael.
Micael pasea en la noche de diciembre.
Micael y el tío ven las vitrinas.
Las vitrinas están llenas de juguetes.
Los juguetes huelen a latón y a pintura.
Los juguetes miran con sus ojos de vidrio.
Los juguetes se mueven con la cuerda.
Los juguetes caminan torpemente.
Los juguetes entran y salen de las cajas iluminadas.
Los juguetes se saludan con alegría.
Los juguetes se paran cuando se les acaba la cuerda.
Micael mira al tío.
El tío mira con sus ojos de vidrio.
El tío se mueve.
El tío camina torpemente.
El tío entra y sale de los edificios iluminados.
El tío saluda con alegría.
El tío se para con la mirada perdida en el vacío.
Micael mira al tío.
Micael aprieta la mano del tío.
Micael mira los transeúntes.
Los transeúntes miran con sus ojos de vidrio.
Los transeúntes se mueven.
Los transeúntes caminan torpemente.
Los transeúntes entran y salen de los edificios iluminados.
Los transeúntes saludan con alegría.
Los transeúntes se paran.
Todo se para.

Micael sabe que nadie ha oído su grito.
La mano del tío se mueve.
El tío lo mira con sus ojos de vidrio.
El tío y Micael se mueven.
El tío y Micael caminan torpemente.
El tío y Micael entran y salen de los edificios iluminados.

Luis Britto García. **Rajapalabra**. México: UNAM, Serie Rayuela Internacional, 1993, pág. 77.

DE LA COTIDIANIDAD ALTERADA

EL ASESINO

Juan José Arreola

Ya no hago más que pensar en mi asesino, ese joven imprudente y tímido que el otro día se me acercó al salir del hipódromo, en un momento en que los guardias lo habrían hecho pedazos antes de que alcanzara a rozar el borde de mi túnica.

Lo sentí palpitar cerca de mí. Su propósito se agitaba en él como una cuadriga furiosa. Lo vi llevarse la mano hacia el puñal escondido, pero lo ayudé a contenerse desviandoun poco mi camino. Quedó desfalleciente, apoyado en una columna.

Me parece haberlo visto ya otras veces, rostro puro, inolvidable entre esta muchedumbre de bestias. Recuerdo que un día salió corriendo un cocinero de palacio, en pos de un muchacho que huía robando un cuchillo. Juraría que ese joven es el asesino inexperto y que moriré bajo el arma con que se corta la carne en la cocina.

El día en que una banda de soldados borrachos entró en mi casa para proclarmarme emperador después de arrastrar por la calle el cadáver de Rinometos, comprendí que mi suerte estaba echada. Me sometí al destino, abandoné una vida de riqueza, de molicie y de vicio para convertirme en complaciente verdugo. Ahora ha llegado mi turno. Ese joven, que trae mi muerte en su pecho, no obsede con su leve persecución. Debo ayudarlo, decidir su cautela. Hay que apresurar nuestra cita, antes de que surja el usurpador que lo traicione, dándome una muerte ignominiosa de tirano.Esta noche pasearé solo por los jardines imperiales. Iré lavado y perfunado. Vestiré una túnica nueva y saldré al paso del asesino que tiembla detrás de un árbol.

En el rápido viaje de su puñal, como en un relámpago, veré iluminarse mi alma sombría.

Juan José Arreola. **Confabulario total (1941–1961)**. México: Fondo de Cultura Económica, 1962, pág. 78

7

Guillermo Cabrera Infante

–Usté, vamo.

–¿Qué pasa?

–El salgento que lo quiere ver.

–¿Para qué?

–¡Cómo que pa qué!. Vamo, vamo. Andando.

–Salgento, aquí está éte.

–Está bien, retírate. ¿Qué, cómo anda esa barriga? Duele, ¿no verdá? Ah, pero te acostumbras, viejo. Dos o tres sacudiones más y nos dices todo lo que queremos.

–Yo no sé nada sargento. Se lo juro y usted lo sabe.

–No tiene que jurar, mi viejito. Nosotros te creemos. Nosotros sabemos que tú no tienes nada que ver con esa gente. Pero te he traído aquí para preguntarte otra cosa. Vamo ver: ¿tú sabes nadar?

–¿Qué?

–Que si sabes nadar, hombre. Nadar. Así.

–Bueno, sargento...yo...

–¿Sabes o no sabes?

–Sí.

–¿Mucho o poco?

–Regular.

–Bueno, así me gusta, que sea modesto. Bueno, pues prepárate para una competencia. Ahora por la madrugá vamo coger una lancha y te vamo llevar mar afuera y te vamo echar al agua, a ver hasta dónde aguantas. Ya yo he hecho una apuestica con el cabo. No, hombre, no pongas esa cara. no te va a pasar nada. Nada más que una mojá. Después nosotros aquí te esprimimos y te tendemos. ¿Qué te parece? Di algo, hombre, que no digan que tú eres un pendejo que le tiene miedo al agua. Bueno, ahora te vamos devolver a la celda. Pero recuerda: por la madrugá eh. !Cabo, llévate al campión pal calabozo y ténmelo allá hasta que te avise!. Oye:y va la apuesta.

Guillermo Cabrera Infante. **Así en la paz como en la guerra**. Montevideo: Alfa, 1970, pág. 95.

LOS DESCUBRIDORES

Humberto Mata

Cierta vez –de eso hace ahora mucho tiempo– fuimos visitados por gruesos hombres que desembarcaron en viejísimos barcos. Para aquella ocasión todo el pueblo se congregó en las inmediaciones de la playa. Los grandes hombres traían abrigos y uno de ellos, el más grande de todos, comía y bebía mientras los demás dirigían las pequeñas embarcaciones que los traerían hasta la playa. Una vez en tierra –ya todo el pueblo había llegado–, los grandes hombres quedaron perplejos y no supieron qué hacer durante varios minutos. Luego, cuando el que comía finalizó la presa, un hombre flaco, con grandes cachos en la cabeza, habló de esta manera a sus compañeros: Amigos, nos hemos equivocado de ruta. Volvamos. Acto seguido todos los hombres subieron a sus embarcaciones y desaparecieron para siempre.

Desde entonces se celebra en nuestro pueblo –todos los años en una fecha determinada– el desembarco de los grandes hombres. Estas celebraciones tienen como objeto dar reconocimiento a los descubridores.

Humberto Mata. **Imágenes y conductos**. Caracas: Monte Avila, 1970, pág. 23.

LOS MEJOR CALZADOS

Luisa Valenzuela

Invasión de mendigos pero queda un consuelo: a ninguno le faltan zapatos, zapatos sobran. Eso sí, en ciertas oportunidades hay que quitárselos a alguna pierna descuartizada que se encuentra entre los matorrales y sólo sirve para calzar a un rengo. Pero esto no ocurre a menudo, en general se encuentra el cadáver completito con los dos zapatos intactos. En cambio las ropas sí están inutilizadas. Suelen presentar orificios de bala y manchas de sangre, o han sido desgarradas a latigazos, o la picana eléctrica les ha dejado unas quemaduras muy feas y difíciles de ocultar. Por eso no contamos con la ropa, pero los zapatos vienen chiche. Y en general se trata de buenos zapatos que han sufrido poco uso porque a sus propietarios no se les deja llegar demasiado lejos en la vida. Apenas asoman la cabeza, apenas piensan (y el pensar no deteriora los zapatos) ya está todo cantado y les basta con dar unos pocos pasos para que ellos les tronchen la carrera.

Es decir que zapatos encontramos, y como no siempre son del número que se necesita, hemos instalado en un baldío del Bajo un puestito de canje. Cobramos muy contados pesos por el servicio: a un mendigo no se le puede pedir mucho pero sí que contribuya a pagar la yerba mate y algún bizcochito de grasa. Sólo ganamos dinero de verdad cuando por fin se logra alguna venta. A veces los familiares de los muertos, enterados vaya uno a saber cómo de nuestra existencia, se llegan hasta nosotros para rogarnos que les vendamos los zapatos del finado si es que los tenemos. Los zapatos son lo único que pueden enterrar, los pobres, porque claro, jamás les permitirán llevarse el cuerpo.

Es realmente lamentable que un buen par de zapatos salga de circulación, pero de algo tenemos que vivir también nosotros y además no podemos negarnos a una obra de bien. El nuestro es un verdadero apostolado y así lo entiende la policía que nunca nos molesta mientras merodeamos por los baldíos, zanjones, descampados, bosquecitos y demás rincones donde se puede ocultar algún cadáver. Bien sabe la policía que es gracias a nosotros que esta ciudad puede jactarse de ser la de los mendigos mejor calzados del mundo.

Luisa Valenzuela. **Aquí pasan cosas raras**. Buenos Aires: Ediciones de la Flor. 1975. pág. 19.

MILONGA PARA JACINTO CARDOSO

Luisa Valenzuela

A Jacinto Cardoso se lo llevaron, esposado, un martes por la noche. Se resistió con todas las fuerzas que quedaban en su pobre cuerpo desangrado, pero no hubo caso. La libertad esa noche le volvía la espalda. Pobre Jacinto Cardoso. Se cuenta que los muchachos le compusieron una doliente canción de despedida. Un martes por la noche nada menos, martes 13 para Jacinto Cardoso aunque fue un martes cualquiera cuando lo esposaron. Los muchachos supieron llorar la pérdida de Jacinto Cardoso, desangrado en el juego de naipes, esposado por la Juana un martes a la noche.

Luisa Valenzuela. **Libro que no muerde**. México: UNAM, 1980, pág. 155.

NOTAS DE KLAIL CITY Y SUS ALREDEDORES

Rolando Hinojosa
(Chicano)

1

Hoy, en un día como tantos, el padre Efraín, nosotros, la gente del barrio, sepultamos a Epigmenio Salazar en el cementerio mexicano de Klail. El Epigmenio fue marido fiel (a su manera, según él), padre de familia (de Yolanda, la esposa de Arturo Leyva, el contador), y hombre recto (cuando se lo permitía la hernia).

Todo esto, quizá, lo colocaría su yerno al lado derecho, el haber. El hombre no trabajó un sólo día desde su casamiento con doña Candelaria Munguía de Salazar. También fue sinverguenzón, chismoso, y gorrón. Esto, sin duda, cabría en el lado del débit.

Hace mucho tiempo, en la política internacional, figuraba entre los partidarios fijos del Eje; especialmente allá por 1940–42 cuando a los aliados no les iba tan bien. Su fe en la suerte del Eje fue tanta que titubeó entre ponerle Rommel o Kesselring a su nietecito durante el bautizo hasta que don Efraín, el cura de turno, le puso pare el asunto en la pila misma:

¡Pónganle un nombre cristiano a la criatura! ¿Qué es eso de nombres de herejes?

El Eje, don Efraín; no herejes.

No metas la pata más de lo necesario, Epigmenio.

¿Y qué tal Adolfo?

¿Como el fuehrer?

Eso.

Santo Dios en su cielo...A ver, ustedes, Arturo o Yolanda, ¿qué dicen?

Póngale Arturo Júnior, como a su papá.

No abras la boca, Epigmenio.

Y Epigmenio no la abrió pero, con el tiempo, se las amanó: él llamaba Rommel al nietecito y éste, que no salió memo, atendía a ese nombre cuando lo llamaba su abuelo:

A ver, Rommel, vé a cruzar la calle y tráeme **La Prensa** o Acércate, Rommel, que quiero contarte un chiste del perico o bien, Repórtate, Rommel, si no, no te llevo a las vistas.

El Arturo Júnior le llevó el pulso a su abuelo por mucho tiempo y, por fin, como sucede muchas veces, quedaron muy amigos. Lo de Rommel nunca desapareció porque así lo llamábamos en la escuela o en la calle. Dicho sea en verdad, el nombre de Rommel le cuadraba que ni qué: si en su aspecto físico no se parecía al mariscal de campo a lo menos tenía la cara y la nariz de zorro y al crecer el chico y al llegar al desarrollo se pudo ver bien a bien que el abuelo no iba muy descaminado.

2

Cuando se bajó a Epigmenio a tierra y los hermanos Garrido empezaron a cubrirlo de tierra, doña Candelaria hizo detener la caja; cogió un puñado de tierra y le dijo a Epigmenio: Es un día precioso con el cielo despejado y ni esperanzas de lluvia; no digas que no te fue bien, Epigmenio.

Doña Cande soltó el puñado como si fueran ascuas y ordenó: Eh, tú, Cayetano Garrido, me lo cubres bien, ¿sabes?

Todo eso fue allá, afuera, para la gente. Acá, adentro, en su casa, doña Candelaria supo llorar amargamente porque, también a su manera, supo amar a mi huevón como sólo ella en este mundo llamaba a Epigmenio.

Rolando Hinojosa. **Generaciones y semblanzas**. Berkeley, California: Justa Publications, 1977, pp. 77, 81.

AFORISMOS, DICHOS, ETC.

Augusto Monterroso

BREVEDAD DE LA VIDA

Si como se ha llegado a acortar las distancias se llegara a acortar el tiempo, se lograría hacer más corta la vida y recorrerla en menos años.

(Conversación con Guillermo Haro, s.f.)

CARNE Y ESPIRITU

Es cierto, la carne es débil; pero no seamos hipócritas: el espíritu lo es mucho más.

(Dicho en la cantina «El Fénix», noviembre 1960)

ENANOS

Los enanos tienen una especie de sexto sentido que les permite reconocerse a primera vista.

(Carta a José Durand)

ESCRITOR, ¿NACE, ES, O SE HACE? EL

Digan lo que dijeren, el escritor nace, no se hace. Puede ser que finalmente algunos mueran; pero desde la Antigüedad es raro encontrar alguno que no haya nacido.

*(**El Heraldo**, «Rubén Bonifacio Nuño y el Lacio»)*

ESTILO

Todo trabajo literario debe corregirse y reducirse siempre. Nulla dies sine linea. Anula una línea cada día.

*(**El Heraldo**, «La fisiología del gusto literario»)*

TRABAJO

Mientras en un país haya niños trabajando y adultos sin trabajo, la organización de ese país es una mierda.

(Dicho en la cantina «El Fénix», 10 de mayo)

UNIR ESFUERZOS

En San Blas muchos políticos esencialmente estúpidos o ladrones sólo esperan el momento de alcanzar el poder para combinar estas dos cualidades.

*(**El Heraldo**, «Todo consiste en llegar»)*

MILAGRO (INCONVENIENTE DE UN POSIBLE)

Si por un milagro que está lejos de suceder los pobres se convirtieran de pronto en ricos en cualquier país, lógicamente los ricos pasarían de jure a ser la mayoría, con el consiguiente peligro para los pobres que, una vez más, y como una fatalidad de la Historia, se descuidarían y quedarían tan indefensos como cuando eran la mayoría y, por tanto, en desventaja.

*(**El Heraldo**, «Si la lógica viniera a menos»)*

POBREZA Y RIQUEZA

Entre la pobreza y la riqueza escoge siempre la primera: se obtiene siempre con menos trabajo y el pobre será siempre más feliz que el rico, pues aquél nada teme y éste está continuamente enfermo por las preocupaciones que trae el no dormir pensando siempre en los pobres.

Augusto Monterroso. **Lo demás es silencio**. México: Joaquín Mortiz, 1978.

PADRE NUESTRO QUE ESTAS EN LOS CIELOS

José Leandro Urbina
(Chile)

Mientras el sargento interrogaba a su madre y su hermana, el capitán se llevó al niño, de una mano, a la otra pieza...

–¿Dónde está tu padre? –preguntó.

–Está en el cielo –susurró él.

–¿Cómo? ¿Ha muerto? –preguntó asombrado el capitán.

–No –dijo el niño.– Todas las noches baja del cielo a comer con nosotros.

El capitán alzó la vista y descubrió la puertecilla que daba al entretecho.

José Leandro Urbina. **Las malas juntas**. Ottawa: Ediciones Cordillera, 1978, pág. 21.

RETRATO DE UNA DAMA

José Leandro Urbina

Para Valentina

A la luz del amanecer, filtrándose tímida por la ventana, se compuso con esmero el vestido. Una de sus uñas limpió a las otras. Untó la yema de los dedos con saliva y alisó sus cejas. Cuando terminaba de ordenarse el cabello escuchó a los carceleros venir por el pasillo.

Frente a la sala de interrogatorios, recordando el dolor, le temblaron los muslos. Después la encapucharon y cruzó la puerta. Allí dentro estaba la misma voz del día anterior. Los mismos pasos del día anterior se aproximaron a la silla trayendo la voz, húmeda, hasta pegarla a su oído.

–¿En qué estábamos ayer, señorita Jiménez?

–En que usted debe recordar que está tratando con una dama, dijo ella.

Un golpe le cruzó la cara. Sintió que se desgarraba la mandíbula.

–¿En qué estábamos, señorita Jiménez?

–En que usted debería recordar que está tratando con una dama, dijo ella.

José Leandro Urbina. **Las malas juntas**. Ottawa: Ediciones Cordillera, 1978, pág.15.

ESTADO DE SITIO

Elena Poniatowska
(México)

Camino por las grandes avenidas, las anchas superficies negras, las banquetas en las que caben todos y nadie me ve, nadie voltea, nadie me mira, ni uno solo de ellos. Ninguno da la menor señal de reconocimiento. Insisto. Amenme. Ayúdenme. Sí, todos. Ustedes. Los veo. Trato de imantarlos; nada los retiene, su mirada resbala encima de mí, me borra, soy invisible. Sus ojos evitan detenerse en algo, en cualquier cosa, y yo los miro a todos tan intensamente, los estampo en mi alma, en mi frente; sus rostros me horadan, me acompañan; los pienso, los recreo, los acaricio. Nosotras las mujeres atesoramos los rostros; de hecho, en un momento dado, la vida se convierte en un solo rostro al que podemos tocar con los labios. Amenme, véanme, aquí estoy. Alerto todas las fuerzas de la vida; quiero traspasar los vidrios de la ventanilla, decir: «Señor, señora, soy yo», pero nadie, nadie vuelve la cabeza, soy tan lisa como esta pared de enfrente. Debería gritarles: «Su sociedad sin mí sería incompleta, nadie camina como yo, nadie tiene mi risa, mi manera de fruncir la nariz al sonreír, jamás verán a una mujer acodarse en la mesa como lo hago, nadie esconde su rostro dentro de su hombro...señores, señoras, niños, perros, gatos, pobladores del mundo entero, créanme, es la verdad, les hago falta.»

Me gustaría pensar que me oyen pero sé que no es cierto. Nadie me espera. Sin embargo, todos los días tercamente emprendo el camino, salgo a las anchas avenidas, a ese gran desierto íntimo tan parecido al que tengo adentro. Necesito tocarlo, ver con los ojos lo que he perdido, necesito mirar esta negra extensión de chapopote, necesito ver mi muerte.

Elena Poniatowska. **De noche vienes**. México: Editorial Grijalbo, S.A., 1979.

ELECCIONES INSOLITAS

Julio Cortázar

No está convencido.

No está para nada convencido.

Le han dado a entender que puede elegir entre una banana, un tratado de Gabriel Marcel, tres pares de calcetines de nilón, una cafetera garantida, una rubia de costumbres elásticas, o la jubilación antes de la edad reglamentaria, pero sin embargo no está convencido.

Su reticencia provoca el insomnio de algunos funcionarios, de un cura y de la policía local.

Como no está convencido, han empezado a pensar si no habría que tomar medidas para expulsarlo del país.

Se lo han dado a entender, sin violencia, amablemente.

Entonces ha dicho: «En ese caso, elijo la banana».

Desconfían de él, es natural.

Hubiera sido mucho más tranquilizador que eligiese la cafetera, o por lo menos la rubia.

No deja de ser extraño que haya preferido la banana.

Se tiene la intención de estudiar nuevamente el caso.

Julio Cortázar. **Ultimo Round**. Vol. 2. México: Siglo XXI, 1980, pág. 211.

UNA NOCHE...

Eduardo Galeano

3

Una noche los muchachos me contaron cómo Castillo Armas se había sacado de encima a un lugarteniente peligroso. Para que no le robara el poder o las mujeres, Castillo Armas lo mandó en misión secreta a Managua. Llevaba un sobre lacrado para el dictador Somoza. Somoza lo recibió en el palacio. Abrió el sobre, lo leyó delante de él, le dijo:

–Se hará como pide su presidente.

Lo convidó con tragos.

Al final de una charla agradable, lo acompaño hasta la salida. De pronto, el enviado de Castillo Armas se encontró solo y con la puerta cerrada a sus espaldas.

El pelotón, ya formado, lo esperaba rodilla en tierra.

Todos los soldados dispararon a la vez.

Eduardo Galeano. **Días y noches de amor y de guerra**. Barcelona: Editorial Laia, 1981, pág.17.

LA PARTIDA INCONCLUSA

Floridor Pérez
(Chile)

Blancas: Danilo González (Alcalde de Lota)
Negras: Floridor Pérez (Profesor de Mortandad)

1. P4R – P3AD
2. P4D – P4D
3. CD3A– PXP
4. CXP – A4A
5. C3C – A3C
6. C3A – C2D
7....

Mientras reflexionaba, un cabo gritó su nombre desde la guardia. –¡Voy!– dijo, pasándome el pequeño ajedrez magnético.

Como no regresara en un tiempo prudente, anoté, en broma: abandona.

Sólo cuando el diario **El Sur** esa misma semana publicó en grandes letras la noticia de su fusilamiento en el Estadio Regional de Concepción comprendí toda la magnitud de su abandono.

Se había formado en las minas del carbón, pero no fue el Peón oscuro que parecía condenado a ser, y habrá muerto con señoríos de Rey en su enroque.

Años después le cuento esto a un poeta.

Sólo dice:

–¿Y si te hubieran tocado las blancas?

De **Cartas de prisionero** (Concepción, Chile, 1985)

ANDRES ARMOA

Jorge Luis Borges

Los años le han dejado unas palabras en guaraní, que sabe usar cuando la ocasión lo requiere, pero que no podría traducir sin algún trabajo.

Los otros soldados lo aceptan, pero algunos (no todos) sienten que algo ajeno hay en él, como si fuera hereje o infiel o padeciera un mal.

Este rechazo lo fastidia menos que el interés de los reclutas.

No es bebedor, pero suele achisparse los sábados.

Tiene la costumbre del mate, que puebla de algún modo la soledad.

Las mujeres no lo quieren y él no las busca.

Tiene un hijo en Dolores. Hace años que no sabe nada de él, a la manera de la gente sencilla, que no escribe.

No es hombre de buena conversación, pero suele contar, siempre con las mismas palabras, aquella larga marcha de tantas leguas desde Junín hasta San Carlos. Quizá la cuenta con las mismas palabras, porque las sabe de memoria y ha olvidado los hechos.

No tiene catre. Duerme sobre el recado y no sabe qué cosa es la pesadilla.

Tiene la conciencia tranquila. Se ha limitado a cumplir órdenes.

Goza de la confianza de sus jefes.

Es el degollador.

Ha perdido la cuenta las veces que ha visto el alba en el desierto.

Ha perdido la cuenta de las gargantas, pero no olvidará la primera y los visajes que hizo el pampa.

Nunca lo ascenderán. No debe llamar la atención.

En su provincia fue domador. Ya es incapaz de jinetear un bagual, pero le gustan los caballos y los entiende.

Es amigo de un indio.

Jorge Luis Borges. **La cifra**. Buenos Aires: Emecé, 1986, pág. 57.

GOLPE

Pía Barros

–Mamá, dijo el niño, ¿qué es un golpe?

Algo que duele muchísimo y deja amoratado el lugar donde te dio.

El niño fue hasta la puerta de casa. Todo el país que le cupo en la mirada tenía un tinte violáceo.

Pía Barros. **Miedos transitorios (De a uno, de a dos, de a todos).** Santiago de Chile: ERGO SUM, 1986, pág. 39.

ESTADO DE PERVERSION

Pía Barros

A J. A. Epple, por perversiones compartidas

Tienen algo de perverso los walkman, puedes ir por la calle conociendo a Bach y sonreir; o puedes ir por la calle escuchando un instructivo para las bazookas domésticas y sonreir; o puedes ir por la calle escuchando un audio/porno y sonreir, en resumen, sonreir porque los otros no escuchan lo que tú oyes y eres poderoso y privado. Lo que no sabes es que ellos tienen uno más moderno que el tuyo y te sintonizan porque sonríes demasiado en una ciudad en la que no hay nada por qué sonreir.

Por eso no entiendes cuando los dos hombres te toman por los brazos y te llevan al callejón y te disparan, no es que fuesen moralistas o no entendieran a Bach. No es por eso, precisamente, sino porque tienen algo de perverso los walkman.

Pía Barros, **Signos bajo la piel**. Santiago de Chile: Editorial Grijalbo, 1994, pág. 97.

COTIDIANA

Miguel Gómes
(Venezuela)

Tras una discusión, coloqué a mi mujer sobre la mesa, la planché y me la vestí. No me sorprendió que resultara muy parecida a un hábito.

Miguel Gómes. **Visión memorable**. Caracas: Fundarte, 1987, p.17.

DENLE LA PALABRA

Andrés Rivera
(Argentina)

Tenía treinta años de Ejército, la mitad de los cuales transcurrió en el sur del país, a la cabeza de patrullas que iban en socorro de los imbéciles que se extraviaban en los picos cordilleranos.

Lo trasladaron el día que alguien, en su presencia, hizo el elogio del capón. Se le dieron vuelta los intestinos: había comido la carne grasosa del animal –mañana, tarde y noche– más tiempo de lo que nadie podía resistir.

Deambuló, luego, por regimientos varios. Estaba a punto de retirarse, con el grado de sargento ayudante, cuando le avisaron: nos vamos a levantar para traerlo al General. Respondió que no faltaría a la patriada.

Las tropas leales al gobierno capturaron a los alzados, sin disparar un tiro, en una improbable y larga noche lluviosa.

Le dijeron que pidiese lo que quisiera. Pidió la bebida más fuerte que tuvieran. Le preguntaron si no deseaba alguna otra cosa. Contestó que no.

Oyó, calmo, los ojos vendados, el ruido de las armas; recordó que la Historia que le enseñaron registraba, escrupulosamente, las últimas palabras de los condenados a muerte; quiso enhebrar una frase: no se le ocurrió ninguna.

Las balas, piadosas, llegaron antes que la desesperación; antes de que pudiera dudar de su vocación de servicio.

En **Puro cuento** N.15 (Enero–Febrero de 1989), pág. 39.

LOS VIAJEROS DESPREVENIDOS SE ADMIRAN DE UNA LARGA CARAVANA

Armando José Sequera
(Venezuela)

Que mi cuerpo se deje en el espacio, fue su última voluntad.

Hubo que hacer los trámites, y para sorpresa nuestra, no era el primero: quienes no habían podido ir en vida al cosmos, era lógico que solicitasen eso.

Los viajeros desprevenidos se admiran de una larga caravana, como de ataúdes espolvoreados de cristales, que generalmente se cruza en el camino de los cohetes cuando éstos se dirigen a Marte.

Armando José Sequera. **Me pareció que saltaba por el espacio como una hoja muerta**. Caracas: Centro de Estudios Rómulo Gallegos, n/d. pág. 67

EL GRAZNIDO

Jaime Valdivieso

El muchacho, como era su costumbre últimamente, mordió un pedazo de pan, concentrado y adusto, mirando fijo uno de los pétalos de las flores de plástico en el centro de la mesa.

Ese día, como era habitual, su padre tiró el quepis sobre uno de los sillones y, antes de sentarse, dijo refregándose las manos: «Una vez más tuvo que cantar: a ésta la hice graznar como a un pato».

Pero no alcanzó a beberse el primer vaso de vino, luego de sonreir a su mujer y a su pequeña hija: el largo y filudo cuchillo le atravesó la garganta, al mismo tiempo que el muchacho graznaba como un pato.

Jaime Valdivieso. **Voces de alarma**. México: Fondo de Cultura Económica, 1992, pág. 141

RUBEN

Luis Britto García

Traga Rubén no brinques Rubén sóplate Rubén no te orines en la cama Rubén no toques Rubén no llores Rubén estáte quieto Rubén no saltes en la cama Rubén no saques la cabeza por la ventanilla Rubén no rompas el vaso Rubén, Rubén no juegues trompo Rubén no faltes al catecisnmo Rubén no pintes las paredes Rubén di los buenos días Rubén deja el yoyo Rubén no juegues trompo Rubén no faltes al catecismo Rubén amárrate la trenza del zapato Rubén haz las tareas Rubén no rompas los juguetes Rubén reza Rubén no te meta el dedo en la nariz Rubén no juegues con la comida no te pases la vida jugando con la vida Rubén.

Estudia Rubén no te jubiles Rubén no fumes Rubén no salgas con tus amigos Rubén no te pelees con tus amigos Rubén, Rubén no te montes en la parrilla de las motos Rubén estudia la química Rubén no trasnoches Rubén no corras Rubén no ensucies tantas camisetas Rubén saluda a la comadre Paulina Rubén no andes en patota Rubén no hables tanto, estudia la matemática Rubén no te metas con la muchacha del servicio Rubén no pongas tan alto el tocadiscos Rubén no cantes serenatas Rubén no te pongas de delegado de curso Rubén no te comprometas Rubén no te vayas a dejas raspar Rubén no le respondas a tu padre Rubén, Rubén córtate el pelo, coge ejemplo Rubén.

Rubén no manifiestes, no cantes el Belachao Rubén no protestes a los profesores, no dejes que te metan en la lista negra Rubén, Rubén quita los afiches del cheguevara, no digas yankis go home Rubén, Rubén no repartas hojitas, no pintes los muros Rubén, no siembres la zozobra en las instituciones

Rubén, Rubén no quemes cauchos, no agites Rubén, Rubén no me agonices, no me mortifiques Rubén, Rubén modérate, Rubén compórtate, Rubén aquiétate, Rubén componte.

Rubén no corras Rubén no grites Rubén no brinques Rubén no saltes Rubén no pases frente a los guardias Rubén no enfrentes los policías Rubén no dejes que te disparen Rubén no saltes Rubén no grites Rubén no sangres Rubén no caigas.

No te mueras Rubén.

Luis Britto García. **Rajapalabra.** México: UNAM, Serie Rayuela Internacional, 1993, pág. 95

LA JAULA

Alejandro Jodorowsky

Quiso avanzar, tropezó con una pared invisible. Quiso retroceder, le pasó lo mismo. Palpó arriba, abajo, a los costados: estaba encerrado en una jaula de cristal. Dio golpes sin perder nunca las esperanzas, insistió una y otra vez en el mismo sitio, hasta que sintió un crujido y pudo atravesar la superficie fría con el puño. Se abrió paso y, por fin, salió al exterior. Avanzó feliz, sonriente, libre, pero se dio un frentazo contra una pared invisible. ¡Estaba dentro de una jaula mayor! Pensó, consolándose: «¡Por lo menos es más grande y está creciendo! ¡Crecerá tanto que un día desaparecerá!» Pero la jaula no crecía: el señor iba empequeñeciendo.

Alejandro Jodorowsky. **Sombras al mediodía**. Santiago de Chile: Dolmén Ediciones, 1995, pág. 29

DE CIERTAS COSMOGONIAS

VOZ DE LEJOS

Rubén Darío
(Nicaragua)

Camino del desierto, van dos túnicas de pelo de camello. Cuatro pies despedazan sus sandalias, contra las piedras del camino. Van dos elegidos de Dios que antes eran pecadores, a predicar la fe de Cristo, que no ha mucho tiempo fue crucificado en Judea por el pretor Pilatos.

Uno de Félix de Roma, que va camino del Circo de los leones.

Otro es Judith de Arimatea, que va camino del Circo de los leones.

Ambos han padecido y hecho penitencia por veinte años. Son seres del Señor.. Su paso es santo.

Rubén Darío, «Voz de lejos». **El Tiempo**, Buenos Aires, 29 de mayo de 1898. En E.K. Mapes. **Escritos inéditos de Rubén Darío**. New York: Instituto de las Españas, 1938, pág. 179.

PALIMSESTO

Rubén Darío

Cuando Longinos salió huyendo con la lanza en la mano, después de haber herido el costado de Nuestro Señor Jesús, era la triste hora del Calvario, la hora en que empezaba la sagrada agonía.

Sobre el árido monte las tres cruces proyectaban su sombra. La muchedumbre que había concurrido a presenciar el sacrificio iba camino de la ciudad. Cristo, sublime y solitario, martirizado lirio de divino amor, estaba pálido y sangriento en su madero.

Cerca de los pies atravesados, Magdalena, desmelenada y amante, se apretaba la cabeza con las manos. María daba su gemido maternal. ¡Stabat mater dolorosa!

Después, la tarde fugitiva anunciaba la llegada del negro carro de la noche. Jesús temblaba en la luz al suave soplo crepuscular.

La carrera de Longinos era rápida, y en la punta de la lanza que llevaba en su diestra brillaba algo como la sangre luminosa de un astro.

El ciego había recobrado el goce del sol.

El agua santa de la santa herida había lavado en esta alma toda la tiniebla que impedía el triunfo de la luz.

A la puerta de la casa del que había sido ciego, un grande arcángel estaba con las alas abiertas y los brazos en alto.

¡Oh, Longinos, Longinos! Tu lanza desde aquel día será un inmenso bien humano. El alma que ella hiera sufrirá el celeste contagio de la fe.

Por ella oirá el trueno Saulo y será casto Parcifal.

En la misma hora en que en Haceldama se ahorcó Judas,

floreció idealmente la lanza de Longinos.

Ambas figuras han quedado eternas a los ojos de los hombres.

¿Quién preferirá la cuerda del traidor al arma de la gracia?

En **Mensaje** de **La Tribuna** de Buenos Aires, 16 de septiembre de 1893. En E.K. Mapes. **Escritos inéditos de Rubén Darío**. New York: Instituto de las Españas, 1938, pp.6–7.

DE LAS HERMANAS

Eliseo Diego

Eran tres viejecitas dulcemente locas que vivían en una casita pintada de blanco, al extremo del pueblo. Tenían en la sala un largo tapiz, que no era un tapiz, sino sus fibras esenciales, como si dijésemos el esqueleto del tapiz. Y con sus pulcras tijeras plateadas cortaban de vez en cuando alguno de los hilos, o a lo mejor agregaban uno, rojo o blanco, según les pareciese. El señor Veranes, el médico del pueblo, las visitaba los viernes, tomaba una taza de café con ellas y les recetaba esta loción o la otra. «¿Qué hace mi vieja?» –preguntaba el doctísimo señor Veranes, sonriendo, cuando cualquiera de las tres se levantaba de pronto acercándose, pasito a pasito, al tapiz con las tijeras. «Ay –contestaba una de las otras– , qué ha de hacer, sino que le llegó la hora al pobre Obispo de Valencia». Porque las tres viejitas tenían la ilusión de que ellas eran las Tres Parcas. Con lo que el doctor Veranes reía gustosamente de tanta inocencia.

Pero un viernes las viejecitas lo atendieron con solicitud extremada. El café era más oloroso que nunca, y para la cabeza le dieron un cojincito bordado. Parecían preocupadas, y no hablaban con la animación de costumbre. A las seis y media una de ellas hizo ademán de levantarse. «No puedo –suspiró recostándose de nuevo. Y, señalando a la mayor, agregó – :Tendrás que ser tú, Ana María.

Y la mayor, mirando tristemente al perplejo señor Veranes, fue suave a la tela, y con las pulcras tijeras cortó un hilo grueso, dorado, bonachón. La cabeza de Veranes cayó enseguida al pecho, como un peso muerto.

Después dijeron que las viejecitas, en su locura, habían

envenenado el café. Pero se mudaron a otro pueblo antes que empezasen las sospechas y no hubo modo de encontrarlas.

Divertimentos. La Habana: Ediciones Orígenes, 1946.
Eliseo Diego. **Poesía y prosa selectas**. Caracas: Biblioteca Ayacucho, 1991, pp. 228–229.

EL INFIERNO

Virgilio Piñera

Cuando somos niños, el infierno es nada más que el nombre del diablo puesto en la boca de nuestros padres. Después, esa noción se complica, y entonces nos revolcamos en el lecho, en las interminables noches de la adolescencia, tratando de apagar las llamas que nos queman –¡las llamas de la imaginación!–. Más tarde, cuando ya nos miramos en los espejos porque nuestras caras empiezan a parecerse a la del diablo, la noción del infierno se resuelve en un temor intelectual, de manera que para escapar a tanta angustia nos ponemos a describirlo. Ya en la vejez el infierno se encuentra tan a mano que lo aceptamos como un mal necesario y hasta dejamos ver nuestra ansiedad por sufrirlo. Más tarde aún (y ahora sí estamos en sus llamas), mientras nos quemamos, empezamos a entrever que acaso podríamoa aclimatarnos. Pasados mil años, un diablo nos pregunta con cara de circunstancia si sufrimos todavía. Le contestamos que la parte de rutina es mucho mayor que la parte de sufrimiento. Por fin llega el día en que podríamos abandonar el infierno, pero enérgicamente rechazamos tal ofrecimiento, pues, ¿quién renuncia a una querida costumbre?

1956

Virgilio Piñera. **Cuentos**. Madrid: Ediciones Alfaguara, 1983, pág. 55–6.

POST-OPERATORIO

Adolfo Bioy Casares

Fueran cuales fueran los resultados –declaró el enfermo, tres días después de la operación– la actual terapéutica me parece muy inferior a la de los brujos, que sanaban con encantamientos y con bailes.

Adolfo Bioy Casares. **Guirnalda con amores**. Buenos Aires: Emecé, 1959, pág. 140.

DE L'OSSERVATORE

Juan José Arreola

A principios de nuestra Era, las llaves de San Pedro se perdieron en los suburbios del Imperio Romano. Se suplica a la persona que las encuentre, tenga la bondad de devolverlas inmediatamente al Papa reinante, ya que desde hace más de quince siglos las puertas del Reino de los Cielos no han podido ser forzadas con ganzúas.

Juan José Arreola. **Confabulario total (1941–1961)**. México: Fondo de Cultura Económica, 1962, pág. 14.

EL DIOS DE LAS MOSCAS

Marco Denevi

Las moscas imaginaron a su dios. Era otra mosca. El dios de las moscas era una mosca, ya verde, ya negra y dorada, ya rosa, ya blanca, ya purpúrea, una mosca inverosímil, una mosca bellísima, una mosca monstruosa, una mosca terrible, una mosca benévola, una mosca vengativa, una mosca justiciera, una mosca joven, pero siempre una mosca. Algunos aumentaban su tamaño hasta volverla enorme como un buey, otros la ideaban tan microscópica que no se la veía. En algunas religiones carecía de alas («Vuela, sostenían, pero no necesita alas»), en otras tenía infinitas alas. Aquí disponía de antenas como cuernos, allá los ojos le comían toda la cabeza. Para unos zumbaba constantemente, para otros era muda pero se hacía entender lo mismo. Y para todos, cuando las moscas morían, los conducía en un vuelo arrebatado hasta el paraíso. Y el paraíso era un trozo de carroña, hediondo y putrefacto, que las almas de las moscas muertas devoraban por toda la eternidad y que no se consumía nunca, pues aquella celestial bazofia continuamente renacía y se renovaba bajo el enjambre de las moscas. De las buenas. Porque también había moscas malas y para éstas había un infierno. El infierno de las moscas condenadas era un sitio sin excrementos, sin desperdicios, sin basura, sin hedor, sin nada de nada, un sitio limpio y reluciente y para colmo iluminado por una luz deslumbrante, es decir, un lugar abominable.

Marco Denevi, **Falsificaciones** (1966)

PROBLEMAS DEL INFIERNO

José Emilio Pacheco

Una vez cada cien mil años los demonios autorizan ochenta suicidios en el infierno. Nadie sabe quiénes serán los elegidos, y todos los habitantes bullen en adulación para los torturadores, intrigas y mala fe entre los torturados. El sector radical de los ángeles ha hecho pública su protesta a fin de que Dios, en Su Infinita Bondad, presione a los demonios. Porque no está bien que a la tortura de la infinitud se añada el castigo mediante la esperanza.

(Publicado en 1963 bajo la autoría de «Heinemann»)

José Emilio Pacheco. **La sangre de Medusa**. México: Ediciones Era, 1990, pág. 104–105

LOS TALMUDISTAS

Sergio Golwarz
(México)

Por el año de 1421 llegó a Toledo un pequeño filósofo, cuya principal diversión consistía en decir cosas tan inofensivas como, por ejemplo, que Dios, para tener un hijo, se había visto obligado a recurrir a la ayuda del Espíritu Santo. También era muy dado a ciertos joviales razonamientos que tenían un vago sabor talmúdico. Una de sus especulaciones favoritas era ésta: «No es posible que Dios sea feliz existiendo el pecado. Si Dios no es feliz, no es perfecto. si Dios no es perfecto, no es Dios; si Dios no es Dios, Dios no existe».

Tanto insistió en mostrarse ingenioso, que el 20 de diciembre de 1491, como premio a su agudeza, fue condenado a la hoguera, por otros que tenían tanto ingenio como él, pero no lo prodigaban.

Antes de enviarlo a que sus huesos se calcinaran, para no darle tormento como aperitivo, lo instaron a desdecirse de su comprometedora conclusión. No tuvo ningún inconveniente; al contrario. Se prestó a ello de buen grado, y aseguró que creía a pie juntillas en el Hacedor. Pero no estuvo de acuerdo con la sentencia que se le había impuesto. «Si Dios es omnisciente –alegó–, conoce el porvenir; si conoce el porvenir, todo está previsto; si todo está previsto, el pecado no depende del hombre; si el pecado no depende del hombre, no hay pecadores; si no hay pecadores, todos somos justos; si todos somos justos, no merezco la hoguera».

«Dices bien –le contestó un miembro del Santo Oficio, que modesta y previsoramente encapuchaba su ciencia–, pero la última parte de tu razonamiento no es la correcta. Debe ser así: **si todos somos justos, todos iremos al cielo; y si todos iremos al cielo, ¿para qué preocuparse?»**

Escribe Esteban, el apócrifo, en su **Syntesis theologicae fundamentalis** (1492), que el razonador ardió como una rama seca. Añade el apócrifo que, poco después, el modesto encapuchado también ardió sin contratiempos: razonaba con demasiada perfección y mucho estilo talmúdico.

Sergio Golwarz. **Infundios ejemplares**. México: Fondo de Cultura Económica, 1969, pág. 13–14.

EL CIELO CUNA

Ernesto Cardenal
(Nicaragua)

Una muchacha cuna de quince años, con una bonita argolla de oro en la nariz, me ha hecho el siguiente relato del cielo:

«Cuando uno se muere se va en una canoa por un río largo. Uno está entonces muy débil, como borracho, y no puede remar. Va así, muy débil, en el centro de la canoa, y van cinco personas adelante y cinco atrás, que son los que reman. (Le pregunté si estas personas se veían, y me respondió con mucho énfasis: «¡No se ven!»). El río tiene diez vueltas. Cuando ya el río está muy estrecho y tiene poca agua, se bajan de la canoa y empiezan a caminar hasta llegar al cielo.

«En el cielo todo es de oro. Se visten vestidos muy lindos, con muchos colores. No más vestidos como éstos –y señala su vestido–. Hay caballos muy grandes, y muchos perfumes, y casas muy lindas. Todas las casas tienen sus números. Allí en el cielo están todos los días aprendiendo, y aprendiendo mucho. Se aprenden muchas cosas, se aprende a leer.

«Peleas, eso se arregla. No más peleas en el cielo.

«Cuando uno llega donde Dios, Dios está de espaldas. Uno le pregunta si lo quiere coger, Dios sólo vuelve la cabeza un poco. Se le repite la pregunta y se vuelve un poco más. A la tercera vez está completamente de frente. A los que han sido malos, a los que tienen rabias, Dios los sopla y los bota otra vez al río por donde habían venido. A los buenos les dice: «Este es un chiquito mío», y los coge en sus brazos. Porque cuando uno llega allá se vuelve como un chiquito.

«En el cielo uno se hace `de oro mismo`. Cuando una muchacha murió sin casarse, allí consigue marido:`muchachos muy bonitos`. Cada persona que se muere encuentra su casa con su número. Antes de que se muera su casa no tiene número. Cuando se muere se abre su casa y tiene número. Cada persona tiene su tienda. Los amigos tienen todas las tiendas juntas. Los maridos y las mujeres ya no duermen juntos, sino que tienen sus tiendas, una al lado de la otra, y también las demás tiendas de los parientes y de los amigos.

En el cielo nunca se trabaja. Ya jamás se trabaja para cocinar. Todos tienen buenos vestidos y buenos zapatos.

En Edmundo Valadés. **El libro de la imaginación**. México: F.C.E. 1976, pág. 248.

CUANDO LA MARIA LUE

Roque Dalton
(El Salvador)

Cuando la María Lúe le dijo a su marido que había parido una serpiente, que todos los nueve meses en espera del crío habían terminado en ese retorcimiento viscoso y veloz de color verde que a duras penas podía mantenerse entre los mimbres de la cuna, aquél, el Secundino Lúe, salió al patio de la casa, le dio filo al machete y regresó a la habitación con el rostro congestionado. Después le dijo a la María: –¿Ve lo que pasa por putear con el diablo? Y le dio un primer machetazo, hondo, en la frente. En seguida abrió la cuna. Pescó hábilmente por lo que debe ser el cuello a la serpiente y se fue con ella al monte. En un huatal hermoso, con olor a humedad y calor de ayer, la dejó ir. –Dios te bendiga, pues –musitó. Al regresar al pueblo el Secundino traía los ojos colorados, colorados.

El cuento. Revista de imaginación N.84 (Noviembre–Diciembre de 1980), pág. 453.

CABALLO IMAGINANDO A DIOS

Augusto Monterroso

A pesar de lo que digan, la idea de un cielo habitado por Caballos y presidido por un Dios con figura equina repugna al buen gusto y a la lógica más elemental, razonaba los otros días el Caballo.

Todo el mundo sabe –continuaba en su razonamiento– que si los caballos fuéramos capaces de imaginar a Dios lo imaginaríamos en forma de Jinete.

Augusto Monterroso, **La oveja negra y demás fábulas**, (Barcelona: Editorial Seix–Barral, 1981), pág. 69.

EL SALVADOR RECURRENTE

Augusto Monterroso

En la selva se sabe, o debería saberse, que ha habido infinitos Cristos, antes y después de Cristo. Cada vez que uno muere nace inmediatamente otro que predica siempre lo mismo que su antecesor y es recibido de acuerdo con las ideas imperantes en el momento de su llegada, y jamás comprendido. Adopta diferentes nombres y puede pertenecer a cualquier raza, país, e incluso religión, porque no tiene religión. En todas las épocas son rechazados; en ocasiones, las más gloriosas, por la violencia, ya sea en forma de cruz, de hoguera, de horca o de bala. Consideran esto una bienaventuranza, porque abrevia el término de su misión y parten seguros del valor de sus sacrificios. Por el contrario, los entristecen los tiempos de «comprensión», en los que no les sucede nada y transcurren ignorados. Prefieren el repudio decidido a la aceptación pasiva, y el patíbulo o el fusilamiento al psiquiatra o el púlpito. Lo que más temen es morir demasiado viejos, ya sin predicar ni esforzarse en enseñar nada a quienes ni lo desean ni lo merecen; abrumados porque saben que como ellos en su oportunidad, alguien, en alguna parte, espera ansioso el instante de su muerte para salir al mundo y comenzar de nuevo.

Augusto Monterroso. **La oveja negra y demás fábulas**. Barcelona: Editorial Seix–Barral, 1981, pág. 51

EL ECLIPSE

Augusto Monterroso

Cuando fray Bartomolé Arrazola se sintió perdido aceptó que ya nada podría salvarlo. La selva poderosa de Guatemala lo había apresado, implacable y definitiva. Ante su ignorancia topográfica se sentó con tranquilidad a esperar la muerte. Quiso morir allí, sin ninguna esperanza, aislado, con el pensamiento fijo en la España distante, particularmente en el convento de Los Abrojos, donde Carlos Quinto condescendiera una vez a bajar de su eminencia para decirle que confiara en el celo religioso de su labor redentora.

Al despertar se encontró rodeado por un grupo de indígenas de rostro impasible que se disponían a sacrificarlo ante un altar, un altar que a Bartolomé le pareció como el lecho en que descansaría, al fin, de sus temores, de su destino, de sí mismo.

Tres años en el país le habían conferido un mediano dominio de las lenguas nativas. Intentó algo. Dijo algunas palabras que fueron comprendidas.

Entonces floreció en él una idea que tuvo por digna de su talento y de su cultura universal y de su arduo conocimiento de Aristóteles. Recordó que para ese día se esperaba un eclipse total de sol. Y dispuso, en lo más íntimo, valerse de aquel conocimiento para engañar a sus opresores y salvar la vida.

–Si me matáis –les dijo– puedo hacer que el sol se oscurezca en su altura.

Los indígenas lo miraron fijamente y Bartolomé sorprendió la incredulidad en sus ojos. Vio que se produjo un pequeño consejo, y esperó confiado, no sin cierto desdén.

Dos horas después el corazón de fray Bartolomé Arrazola chorreaba su sangre vehemente sobre la piedra de los sacrificios (brillante sobre la opaca luz de un sol eclipsado), mientras uno de los indígenas recitaba sin ninguna inflexión de voz, sin prisa, una por una, las infinitas fechas en que se producirían eclipses solares y lunares, que los astrónomos de la comunidad maya habían previsto y anotado en sus códices sin la valiosa ayuda de Aristóteles.

Augusto Monterroso. **Cuentos.** Madrid: Alianza Editorial, 1986, pp.37–38.

LA VERDADERA TENTACION

Carlos Monsiváis
(México)

¡Permíteme, oh Señor, que enfrente a las Verdaderas Tentaciones! Soy tu siervo, el divulgador de tu doctrina, vasallo de tus profecías, sujeto del error y el escarmiento, y quiero acrisolarme ante tus ojos honrando tu hermosura. Concédeme mi ruego y ponme a prueba, pero con ofrecimientos que sean cual duro yugo. Si te insisto, Señor, es porque más de tres veces se me ha tentado en vano, y me acongojan mis negativas instantáneas. El Maligno me desafía y acecha ignorando mis debilidades genuinas. Me seducen con mujeres frenéticas, a mí que soy misógino; me provocan con viajes a países fantásticos, a mí, tan sedentario; extienden a mis pies los reinos del mundo y sus encantos cuando sólo apetezco la penumbra. Y por si algo me faltara, me declaran: «Todo esto será tuyo, si postrado me adoras», ¡y me lo dicen a mí, tan anarquista!

Restablece los derechos de tu hijo, Señor, oblígales a imaginar tentaciones que lo sean de modo inobjetable, que de veras inciten mi deseo, que me hagan olvidar cuán fácil es mantener la virtud si nadie nos asedia como es debido.

Carlos Monsiváis. **Nuevo catecismo para indios remisos**. México: Siglo XXI, 1982, pág. 31.

LAS DUDAS DEL PREDICADOR

Carlos Monsiváis

Enmienda tú, arcángel San Miguel, apóstol de las intercesiones sin lisonjas, enmienda tú a estos naturales y nativos, y extírpales las influencias perversas, y el ánimo de transformar los templos en tanguis indecentes, y borra de ellos las supersticiones, y elimina con ira a sus falsos reyes, sus abominaciones y blasfemias, sus monstruos que paren ancianos a los catorce meses, y sus iguanas que hablan con las reliquias como si éstas tuvieran don de lenguas.

Varón inmaculado, santo arcángel, castiga a los nativos, cortos de manos y restringidos de piernas, quebrantados y confusos. Haz que sepan de tu aborrecimiento y tu justicia. Que sus arroyos se tornen polvo abyecto, sus perros amanezcan desdentados, su falsa mansedumbre se vuelva azufre y sus cánticos sean peces ardientes sobre su miseria. Pasa sobre sus dioses escondidos cordel de destrucción y que en el vientre de las indias mudas aniden humo y asolamiento.

Porque, enviado con alas, éste tu siervo ha vivido entre nativos muchos años, exhortando y convirtiendo a quienes no quieren distinguir ya entre la verdadera religión y las idolatrías nauseabundas, entre el pecado y el respeto a la Ley. Castígalos, Miguel, y devuélveme mi recto entendimiento, para que ya no sufra, y abandone los tenebrosos cultos de medianoche y nunca más le ruegue, pleno de confusión y de locura, a Tonantzin, Nuestra Madre... de la que inútilmente abominan los hombres barbados que con espada y fuego instalaron sus dioses en nuestros altares creyendo, pobres tontos, que hemos de abandonarla algún día, a ella, nuestra diosa de la falda de serpientes.

Carlos Monsiváis. **Nuevo catecismo para indios remisos**. México: Siglo XXI,1982, pág. 17.

LOS ADVERTISTAS

Roberto Bañuelas
(México)

Nos instalamos con nuestra música en una de las calles más céntricas para impedir el paso de la gente. La multitud creció al ritmo de nuestros cantos y danzas, pero se dispersó con el anuncio que hicimos de lo próximo que está el fin del mundo.

Ahora todos se fingen sordos y pasan de largo, creyendo que así evitarán el advenimiento de la verdad suprema. Pronto se darán cuenta de que estas trompetas que portamos no son de adorno.

El cuento. Revista de imaginación, N.90 (1984), pág. 248.

LA MARIONETA

Edmundo Valadés

El marionetista, ebrio, se tambalea mal sostenido por invisibles y precarios hilos. Sus ojos, en agonía alucinada, no atinan la esperanza de un soporte. Empujado o atraído por un caos de círculos y esquinces, trastabillea sobre el desorden de su camerino, eslabona angustias de inestabilidad, oscila hacia el vértigo de una inevitable caída. Y en última y frustrada resistencia, se despeña al fin como muñeco absurdo.

La marioneta –un payaso en cuyo rostro de madera asoma, tras el guiño sonriente, una nostalgia infinita– ha observado el drama de quien le da transitoria y ajena locomoción. Sus ojos parecen concebir lágrimas concretas, incapaz de ceder al marionetista la trama de los hilos con los cuales él adquiere movimiento.

Edmundo Valadés. **Sólo los sueños y los deseos son inmortales, palomita**. México: Ediciones Océano, 1986, pág. 89.

RAULINA YAGAN YAGAN

Astrid Fugellie
(Chile)

Raulina Yagán, la última yámana de Tekenica y de Ukika, poblados de nutrias y sembraderos vecinos a la crueldad de las redes y el mar, murió un diez y siete de abril de mil novecientos ochenta y siete.

Raulina Yagán no dejó más descendencia que algún tejido a telar, que la infeliz hubo de hacer para sobrevivir porque el mínimo empleo repelió su oficio de entrelazadora de canastos y canoas en miniatura.

Y así, Raulina Yagán, la última yámana de Tekenica y de Ukika subió a los cielos donde Pedro, en nombre del Dios Padre Todo Poderoso la recibió:

–¿Tu nombre?

–Raulina Yagán, repuso la indígena con la cabeza gacha, y luego agregó, Annu lalayala...

–¿Qué dices? –la interrogó el blanco Santo.

–¡Los he dejado!, !Ya los he dejado!, ¿Dónde puedo encontrar a mi padre dios yámana?

–¿Tu dios padre yámana?, ¿ te refieres al dios padre de los yaganes?, -insistió algo desconcertado el bueno de Pedro.

–¡Sí!, si sí, –se esperanzó Raulina Yagán.

–Murió, Raulina, tu padre murió el diez y siete de abril de mil novecientos ochenta y siete, en la tarde.

Astrid Fugellie. **Los círculos**. Santiago: Editorial La trastienda, 1988, pág. 106.

DE CAELO ET INFERNO

Carlos Montemayor
(México)

Los hombres de Eneldos (todos los ancianos del Norte), versados en el temor divino, afirmaban que se requería una intensa preparación piadosa para llegar al Paraíso, porque ahí todo es Distinto y Terminado y Puro. Un hombre sin preparación que llegara a estar en él –descartando que quisiera encontrar seres eternos, voces de luz, lugares infinitos, vírgenes que vez tras vez renuevan su sangre limpia, suave –encontraría que cada movimiento de las cosas, cada línea del mar o de la arena, cada ruido del viento o de la noche, desaparecen ante cosas por completo desconocidas, privadas de un sentido o referencia humana, cuya sola presencia, perfecta, indescifrable, haría que ese hombre muriese de silencio, de sed, de miedo principalmente, de un terrible miedo y bien podría tomar al Paraíso por el Infierno. Gregorio de Niza impugnaba la pobre visión de este mundo.

Carlos Montemayor. **Las llaves de Urgell y otras historias**. México: Editorial Diana, 1990, pág. 41.

LA CONSTRUCCION DEL UNIVERSO

Ana María Shua

Seis millones de eones tardó en construirse el universo verdadero. El nuestro es sólo un proyecto, la maqueta a escala que El Gran Arquitecto armó en una semana para presentar a los inversores.

Estuve allí. El universo terminado es muchísimo más prolijo. En lugar de esta representación torpe, hay una infinita perfección en detalle, y sin embargo, como siempre, los inversores se sienten engañados. Como siempre, realizar el proyecto llevó más esfuerzo, más inversión de lo que se había calculado. Como siempre, recuerdan con nostalgia esa torpe gracia indefinible de la maqueta que usaron para engañarlos. No deberíamos quejarnos.

Confluencia, Vol. 13, N.2 (1998), pp. 212–213.

EL DIOS VIEJO DEL FUEGO

Ana María Shua

a Juan Armando Epple

Con las piedras del antiguo templo pagano dedicado al dios del fuego se construyó la iglesia.

Hoy, la iglesia está atestada. Hay, sobre todo, mujeres y algunos niños. Se han refugiado allí y han cerrado la única, enorme puerta con pesadas trabas para defenderse de sus enemigos.

El Dios Viejo del Fuego usa una de sus llamaradas para encender un cigarro de hoja. Los fieles no ven el peligro: confunden con incienso el humo que enrojece sus ojos, confunden con el brillo del sol en los vitrales el fulgor de la brasa.

El Dios del Fuego ha visto ascender y borrarse en la consideración de los hombres muchos monótonos Dioses de la Justicia. Sabe que sólo el terror y la locura perviven a través de los ritos, de las culturas, de los siglos. Usa otra de sus inmensas llamaradas para iluminar la escena a sus ojos legañosos. Es infinitamente viejo y fuma en paz. No va a molestarse en incendiar la iglesia sólo para darle gusto al lector.

DE LA LITERATURA Y OTROS MALES

A CIRCE

Julio Torri
(México)

¡Circe, diosa venerable! He seguido puntualmente tus avisos. Mas no me hice amarrar al mástil cuando divisamos la isla de las sirenas, porque iba resuelto a perderme. En medio del mar silencioso estaba la pradera fatal. Parecía un cargamento de violetas errante por las aguas.

¡Circe, noble diosa de los hermosos cabellos! Mi destino es cruel. Como iba resuelto a perderme, las sirenas no cantaron para mí.

Julio Torri, **Tres libros**. México: Fondo de Cultura Económica, 1964.

LITERATURA

Julio Torri

El novelista, en mangas de camisa, metió en la máquina de escribir una hoja de papel, la numeró, y se dispuso a relatar un abordaje de piratas. No conocía el mar y sin embargo iba a pintar los mares del Sur, turbulentos y misteriosos; no había tratado en su vida más que a empleados sin prestigio romántico y a vecinos pacíficos y oscuros, pero tenía que decir ahora cómo son los piratas; oía gorjear los jilgueros de su mujer, y poblaba en esos instantes de albatros y grandes aves marinas los cielos sombríos y empavorecedores.

La lucha que sostenía con editores rapaces y con un público indiferente se le antojó el abordaje; la miseria que amenazaba su hogar, el mar bravío. Y al describir las olas en que se mecían cadáveres y mástiles rotos, el mísero escritor pensó en su vida sin triunfo, gobernada por fuerzas sordas y fatales, y a pesar de todo fascinante, mágica, sobrenatural.

Julio Torri. **Diálogo de los libros** (1980)

GRAN FINAL

Adolfo Bioy Casares

El viejo literato dijo a la muchacha que en el momento de morir él quería tener un último recuerdo de lujuria.

Adolfo Bioy Casares. **Guirnalda con amores**. Buenos Aires: Emecé, 1959, pág. lll.

LA TRAMA

Jorge Luis Borges

Para que su horror sea perfecto, César, acosado al pie de una estatua por los impacientes puñales de sus amigos, descubre entre las caras y los aceros la de Marco Junio Bruto, su protegido, acaso su hijo, y ya no se defiende y exclama: ¡Tú también, hijo mío! Shakespeare y Quevedo recogen el patético grito.

Al destino le agradan las repeticiones, las variantes, las simetrías; diecinueve siglos después, en el sur de la provincia de Buenos Aires, un gaucho es agredido por otros gauchos y, al caer, reconoce a un ahijado suyo y le dice con mansa reconvención y lenta sorpresa (estas palabras hay que oirlas, no leerlas): Pero, che! Lo matan y no sabe que muere para que se repita una escena.

Jorge Luis Borges, **El hacedor** (1960). en **Prosa completa**, Vol. 2. Barcelona: Bruguera, 1980, pág. 326.

EL PUÑAL

Jorge Luis Borges

A Margarita Bunge

En un cajón hay un puñal.

Fue forjado en Toledo, a fines del siglo pasado; Luis Melián Lafinur se lo dio a mi padre, que lo trajo del Uruguay; Evaristo Carriego lo tuvo alguna vez en la mano.

Quienes lo ven tienen que jugar un rato con él; se advierte que hace mucho que no buscaban; la mano se apresura a apretar la empuñadura que la espera; la hoja obediente y poderosa juega con precisión en la vaina.

Otra cosa quiere el puñal.

Es más que una estructura hecha de metales; los hombres lo pensaron y lo formaron para un fin muy preciso; es, de algún modo, eterno, el puñal que anoche mató a un hombre en Tacuarembó y los puñales que mataron a César. Quiere matar, quiere derramar brusca sangre.

En un cajón del escritorio, entre borradores y cartas, interminablemente sueña el puñal su sencillo sueño de tigre, y la mano se anima cuando lo rige porque el metal se anima, el metal que presiente en cada contacto al homicida para quien lo crearon los hombres.

A veces me da lástima. Tanta dureza, tanta fe, tan impasible o inocente soberbia, y los años pasan, inútiles.

Jorge Luis Borges, **Evaristo Carriego** (1930). **En Prosa completa**, Vol. I (Barcelona: Bruguera, 1980), pág. 83.

HOMENAJE A OTTO WEININGER

Juan José Arreola

(Con una referencia biológica
del barón Jakob von Uexküll)

Al rayo del sol, la sarna es insoportable. Me quedaré aquí en la sombra, al pie de este muro que amenaza derrumbarse. Como a buen romántico, la vida se me fue detrás de una perra. La seguí con celo entrañable. A ella, la que tejió laberintos que no llevaron a ninguna parte. Ni siquiera al callejón sin salida donde soñaba atraparla. Todavía hoy, con la nariz carcomida, reconstruí uno de esos itinerarios absurdos en los que ella iba dejando, aquí y allá, sus perfumadas tarjetas de visita.

No he vuelto a verla. Estoy casi ciego por la pitaña. Pero de vez en cuando vienen los malintencionados a decirme que en este o en aquel arrabal anda volcando embelesada los tachos de basura, pegándose con perros grandes, desproporcionados.

Siento entonces la ilusión de una rabia y quiero morder al primero que pase y entregarme a las brigadas sanitarias. O arrojarme en mitad de la calle a cualquier fuerza aplastante. (Algunas noches, por cumplir, ladro a la luna).

Y me quedo siempre aquí, roñoso. Con mi lomo de lija. Al pie de este muro cuya frescura socavo lentamente. Rascándome, rascándome...

Juan José Arreola. **Confabulario total (1941–1961)**. México: Fondo de Cultura Económica, 1961, pág. 9.

ANTIPATIA

Sergio Golwarz

El escritor bautizó al más infame y despreciable de sus personajes, con un nombre que, por lo inverosímil y absurdo, era una infamia más. Quería evitar la posibilidad de que alguna vez alguien pudiera sentirse aludido. Pero he aquí que ese nombre existía en la vida real, y era el de una persona que, además, nunca llegó a leer el libro, por lo que no hubo reclamaciones: el homónimo del personaje despreciable no pudo reclamar por haber sido gratuitamente infamado, y el escritor no se atrevió a echarle en cara que existiera a pesar de las precauciones que había tomado. Actitudes que, por otra parte, nada tienen de extraordinario. Tampoco tiene nada de extraordinario que ambos, al conocese, sintieran recíprocamente la misma repulsión.

Sergio Golwarz. **Infundios ejemplares**. México: Fondo de Cultura Económica, 1969, pág. 31.

LA OBRA MAESTRA

Alvaro Yunque
(Argentina)

El mono cogió un tronco de árbol, lo subió hasta el más alto pico de una sierra, lo dejó allí, y cuando bajó al llano, explicó a los demás animales:

–¿Ven aquello que está allá? ¡Es una estatua, una obra maestra! La hice yo.

Y los animales, mirando aquello que veían allá en lo alto, sin distinguir bien qué fuere, comenza–ron a repetir que aquello era una obra maestra. Y todos admiraron al mono como a un gran artista. Todos menos el cóndor, porque el cóndor era el único que podía volar hasta el pico de la sierra y ver que aquello sólo era un viejo tronco de árbol. Dijo a muchos lo que había visto; pero ninguno creyó al cóndor, porque es natural en el ser que camina no creer al que vuela.

En **Puro cuento** N.16 (Mayo–Junio de 1989), pág. 25.

LA OVEJA NEGRA

Augusto Monterroso

En un lejano país existió hace muchos años una oveja negra.

Fue fusilada.

Un siglo después, el rebaño arrepentido le levantó una estatua ecuestre que quedó muy bien en el parque.

Así, en lo sucesivo, cada vez que aparecían ovejas negras eran rápidamente pasadas por las armas para que las futuras generaciones de ovejas comunes y corrientes pudieran ejercitarse en la escultura.

Augusto Monterroso. **La oveja negra y demás fábulas**. Barcelona: Editorial Seix–Barral, 1981, pág.23.

IMAGINACION Y DESTINO

Augusto Monterroso

En la calurosa tarde de verano un hombre descansa acostado, viendo al cielo, bajo un árbol; una manzana cae sobre su cabeza; tiene imaginación, se va a su casa y escribe la *Oda a Eva.*

En la calurosa tarde de verano un hombre descansa acostado, viendo al cielo, bajo un árbol; una manzana cae sobre su cabeza; tiene imaginación, se va a su casa y establece la Ley de la Gravitación Universal.

En la calurosa tarde de verano un hombre descansa acostado, viendo al cielo, bajo un árbol; una manzana cae sobre su cabeza; tiene imaginación, observa que el árbol no es un manzano sino una encina y descubre, oculto entre las ramas, al muchacho travieso del pueblo que se entretiene arrojando manzanas a los señores que descansan bajo los árboles, viendo al cielo, en las calurosas tardes del verano.

El primero era, o se convierte entonces para siempre en el poeta sir James Calisher; el segundo era, o se convierte entonces para siempre en el físico sir Isaac Newton; el tercero pudo ser o convertirse entonces para siempre en el novelista sir Arthur Conan Doyle; pero se convierte, o lo era ya irremediablemente desde niño, en el Jefe de Policía de San Blas, S.B.

Augusto Monterroso. **Lo demás es silencio**. México: Joaquín Mortiz, 1978, pág. 126

LA TELA DE PENELOPE, O, QUIEN ENGAÑA A QUIEN

Augusto Monterroso

Hace muchos años vivía en Grecia un hombre llamado Ulises (quien a pesar de ser bastante sabio era muy astuto), casado con Penélope, mujer bella y singularmente dotada cuyo único defecto era su desmedida afición a tejer, costumbre gracias a la cual pudo pasar sola largas temporadas.

Dice la leyenda que en cada ocasión en que Ulises con su astucia observaba que a pesar de sus prohibiciones ella se disponía una vez más a iniciar uno de esos interminables tejidos, se le podía ver por las noches preparando a hurtadillas sus botas y una buena barca, hasta que sin decirle nada se iba a recorrer el mundo y a buscarse a sí mismo.

De esta manera ella conseguía mantenerlo alejado mientras coqueteaba con sus pretendientes, haciéndoles creer que tejía mientras Ulises viajaba y no que Ulises viajaba mientras ella tejía, como pudo haber imaginado Homero, que, como se sabe, a veces dormía y no se daba cuenta de nada.

Augusto Monterroso,**La oveja negra y demás fábulas** (Barcelona: Editorial Seix–Barral, 1981), pág. 21.

EL MUERTO-VIVO

Enrique Anderson–Imbert

Fuimos al cementerio, a despedir los restos de León. Era una cruda maña de invierno. Ya desde muy temprano el cielo negro, redondo, tirante nos avisó así, con su forma de paraguas, que iba a llover. Ahora llovía a cántaros. El viento agitaba los paraguas. El padre y el hermano de León, abrazados, lloraban. Tiritando, empapado hasta los huesos, con laringitis, estornudos y fiebre cumplí mi deber: Empecé a leer un discurso fúnebre, en nombre de la redacción de «La Lira». De pronto vi en las últimas filas del cortejo ¡A él, al muerto, a León! Estaba gozándome, con la cara oculta entre las solapas levantadas del impermeable y el gran sombrero. Fue tanta la sorpresa que solté la pata del paraguas y el paraguas se fue volando con su ala negra. Alguien me lo devolvió respetuosamente. Continué mi discurso, pero sin gana. Comprendí que León nos había hecho la broma de fingirse muerto para asistir a su propio entierro y obligarnos a elogiarlo. Entre frase y frase lo espié, y siempre estaba allí, con las manos en los bolsillos, regocijado. Al terminar el discurso me precipité hacia él, pero se escurrió entre la multitud. Caminaba rápidamente y a pasos cortos para no resbalar sobre el empedrado. Lo vi perderse por las ca–llejuelas de la necrópolis.

Han pasado varios años. El mundo sigue creyéndole muerto. No me atreví a contar a nadie su broma pesada. ¡Para qué! No me hubieran creído. León figura ahora en la historia de nuestra poesía: «Eximio poeta, muerto prematuramente». Patatín, patatán. Bla, bla, bla. De mi nadie recuerda sino aquel discurso, que luego publicaron como prólogo a sus poesías «póstumas». No le perdonaré jamás. Cada vez que oigo hablar de las poesías de León me viene un ahogo de ira. Espero verlo el día menos pensado, al doblar la esquina. Me da miedo andar por la ciudad porque sé que cuando lo vea tendré que matarlo.

Enrique Anderson–Imbert. **Cuentos en miniatura**. Caracas: Equinoccia, 1976, pág. 60.

NOVELA QUE CAMBIA DE GENERO

Enrique Anderson–Imbert

Adrián Bennet sube al tren y cuando va a sentarse observa que se han olvidado sobre el asiento una novela de tapas amarillas. No tiene tiempo de examinarla porque en ese momento entra en el vagón un hombre de anteojos negros y boca avinagrada que acomoda la valija, se arrellana frente a Bennet y se queda inmóvil. Bennet, intimidado, no se atreve a dirigirle la palabra. El viaje es largo. Mira por la ventanilla, se aburre, intenta dormir pero no lo consigue y de pronto recuerda la novela que encontró en el asiento. Ya tiene con qué entretenerse. La examina. El título no le dice nada, el autor le es desconocido. La hojea a saltos. Parece ser una novela policial en la que cierto detective, sospechando que el viajante de comercio Walter Lynch es en realidad un sicario al servicio de la Organización, va en pos de él a Villa María, le sigue los pasos hasta el hotel, lo acecha por el ojo de la cerradura y ve cómo despanzurra al incorruptible periodista.

El tren acaba de parar. El hombre de los anteojos negros y la boca avinagrada se pone de pie y agarra la valija, en cuyo marbete Bennet alcanza a leer: «Walter Lynch». Rápido como la luz, Bennet arroja una mirada por la ventanilla y en el letrero de la estación lee: «Villa María». ¡Pronto! ¿qué hacer? Piensa que su obligación es bajarse, seguir a Walter Lynch, acecharlo, denunciarlo, pero opta por no entrometerse.

El tren empieza a alejarse. Aliviado y avergonzado, Bennet entiende que acaba de escaparse de un peligro futuro pero no sabe exactamente de cuál. Para averiguarlo abre la novela y busca la revelación de lo que le pasó al detective cuando, después de ser testigo del asesinato en Villa María, tuvo que dar la cara al asesino. Antes la había hojeado a saltos; ahora la lee página por página. En la novela, que ya no es policial, sino psicológica, se describe un asesinato en Villa María pero, por más que se busque, allí no figura ningún detective.

Enrique Anderson–Imbert. **La locura juega al ajedrez**. México: Siglo XXI, 1971, pág. 78–79.

NOS PODRIA PASAR, ME CREA

Julio Cortázar

El *verba volant* les parece más o menos aceptable, pero lo que no pueden tolerar es el *scripta manent*, y ya van moles de años de manera que calcule. Por eso aquel mandamás recibió con entusiasmo la noticia de que un sabio bastante desconocido había inventado el tirón de la piolita y se lo vendía casi gratis porque al final de su vida se había vuelto misántropo. Lo recibió el mismo día y le ofreció té con tostadas, que es lo que conviene ofrecer a los sabios.

–Seré conciso –dijo el invitado–. A usted la literatura, los poemas y esas cosas, ¿no?

–Eso, doctor –dijo el mandamás–. Y los panfletos, los diarios de oposición, toda esa mierda.

–Perfecto, pero usted se dará cuenta de que el invento no hace distingos, quiero decir que su propia prensa, sus plumíferos.

–Qué le vamos a hacer, de cualquier modo salgo ganando si es verdad que.

–En ese caso –dijo el sabio sacando un aparatito del chaleco–. La cosa es facilísima. ¿Qué es una palabra sino una serie de letras, y qué es una letra sino una línea que forma un dibujo dado? Ahora que estamos de acuerdo yo aprieto este botoncito de nácar y el aparato desencadena el tirón que actúa en cada letra y la deja planchada y lisa, una piolita horizontal de tinta. ¿Lo hago?

–Hágalo, carajo –bramó el mandamás.

El diario oficial, sobre la mesa, cambió vistosamente de aspecto; páginas y páginas de columnas llenas de rayitas como un morse idiota que solamente dijera______

–Echele un vistazo a la enciclopedia Espasa –dijo el sabio, que no ignoraba la sempiterna presencia de ese artefacto en los ambientes gubernativos. Pero no fue necesario porque ya sonaba el teléfono, entraba a los saltos el ministro de cultura, la plaza llena de gente, esa noche en todo el planeta ni un solo libro impreso, ni una sola letra perdida en el fondo de un cajón de tipografía.

Yo pude escribir esto porque soy el sabio, y además porque no hay regla sin excepción.

Julio Cortázar. **Un tal Lucas**. Madrid: Ediciones Alfaguara, 1979, pág. 73.

PARABOLA DE LA LITERATURA, LA LOCURA, LA CORDURA Y LA VENTURA

Andrés Gallardo

Cierto hidalgo cincuentón dio en el más extraño pensamiento en que jamás dio hidalgo alguno en Nipas, y fue que un día amaneció tan tranquilo diciendo que él era don Quijote de la Mancha y, en efecto, se puso a hacer y decir las cosas que hacía y decía don Quijote de la Mancha (eso sí que solo, pues parece que Nipas no daba para Sancho Panza). Pasó el tiempo e inevitablemente llegó la hora de la muerte y la cordura. El hidalgo cayó en un profundo sueño y al despertar dijo 'bueno, se acabó, ya no hay don Quijote; yo soy Alonso Quijano, a quien mis costumbres me dieron renombre de bueno', después de lo cual se sumió en otro sueño. Pronto despertó; esta vez dijo 'basta de locuras, yo soy Ignacio Rodríguez Almonacid y no hay más leña que la que arde' y cayó nuevamente en profundo sopor. Al cabo de unas horas despertó como asombrado, miró alrededor, dijo 'después de todo, quién es uno' y ahora sí que cayó en un sueño definitivo, dejando alterado para siempre el concepto de identidad personal en Nipas.

En **Revista Extremos** N.3–4, Concepción– Stony Brook–San Juan,P.R. (Enero–Diciembre 1987), pág.74

INCIPIT COMOEDIA

José Emilio Pacheco

Ya no se escucha el roce de la pluma. Miles de versos han quedado escritos. Todos tus sueños, tus deseos y tus rencores se han convertido para siempre en tercetos. Tu existencia acaba de cumplirse. Nada te espera ya sino la muerte. Cuando hasta el mármol de tu sepulcro se haya pulverizado y nada sobreviva de quienes te amaron o te odiaron, renacerás cada vez que alguien lea tu **Comedia**. Debes sentirte satisfecho: nadie superará la obra que has terminado después de tantos años. Pero ¿no cambiarías toda tu gloria por ser Simón de Barli? Simón de Barli es sólo un comerciante florentino, no entiende de poesía y nadie lo conoce en París ni en Provenza. Y sin embargo él tuvo y tiene lo que nunca alcanzaste ni alcanzarás. Respira el aire de Florencia. Acaso un soplo de este aire tocó los labios de Beatriz Portinari.

José Emilio Pacheco. **La sangre de Medusa**. México: Ediciones Era, 1990, pág. 78

ENTRELINEAS

Martha Cerda
(México)

Yo soy la tía. En todo cuento que se respete una tía es algo indispensable; puede ser la mala, la rica, la solterona o la alcahueta, y yo no soy la excepción. Tengo bigote, me visto de negro y soy soltera; todo lo veo, todo lo oigo y sin mí no podrían vivir América, Agamenón y Rosendo. Ellos son mis gatos, por supuesto, y caminan de puntillas por el texto o se esconden debajo de la cama donde Julio y Laura no hacen el amor, o se quedan detrás de una puerta y escuchan...»¿Tía?» Yo me atuso los bigotes y me froto las manos antes de contestar: «¿Sí?» El grito proviene de la imaginación de Laura, quien no se atreve a confesar la angustia que la lleva a mirarse al espejo una y otra vez; por fin me dice: «Tía, ¿crees que aún soy atractiva?» Yo, sentada en un rincón del cuento, veo pasar a Agamenón despacito, con la cola en alto. Laura tiene cuarenta años y el atractivo de una mujer que se siente deseada, sólo un estúpido, como Julio, su marido, no se da cuenta. Ahora veo pasar a América y a Rosendo, juraría que se van riendo y casi podría adivinar de quién. Laura, con la mirada prendida del espejo, contiene el aliento y saca el pecho, sonríe. Hace mucho que no la veía así, ensimismada, inalcanzable...Agamenón de mira de reojo desde la orilla de la página, quiere saltar a la siguiente, adelantarse a la narración. «¿Agamenón?, ¿Agamenón?, espera, Agamenón. Dos cuartillas más adelante lo encuentro husmeando a otro personaje. Parece sacado de un cuento de hadas, mas lo cierto es que lo conozco desde hace tiempo, cuando Laura era niña. Es el enamorado perfecto, veinte años amándola a pesar de su propia mujer y de Julio. Laura llega corriendo de la hoja anterior: «Tía, ¿cómo lo supiste?» Yo finjo indiferencia mientras tejo una bufanda para Rosendo. América está embarazada y no sé de cuál de los dos, pero ése es material para otro cuento. Laura ve a Ricardo, recorre su rostro sin disimulo, se detiene en la boca que habla en el lenguaje de ella, en los ojos que la revisten de mujer, que le recuerdan a Julio, el ciego de Julio...»Tía, yo no tengo la culpa de que Ricardo me siga queriendo, ¿verdad?» América pasa descaradamente con su vientre abultado. Comprendo que algo ha sucedido, algo que no estaba escrito. Ricardo se acerca, su ansiedad de refleja en las pupilas de Agamenón: «Yo no debería estar en esta historia, tía, si la pudiéramos contar de nuevo, sin Julio...» Yo carraspeo, desbarato la bufanda y comienzo otra vez. Rosendo puede esperar.

Martha Cerda. **La señora Rodríguez y otros mundos**. México: Joaquín Mortiz, 1990, pp. 77–78.
1992, pág. 76

ZAFARRANCHO DE COMBATE

Ana María Shua

En el vapor de la carrera se realiza un zafarrancho de naufragio. Se controlan los botes y los pasajeros se colocan sus salvavidas. (Los niños primero y a continuación las mujeres). De acuerdo a las convenciones de la ficción breve, se espera que el simulacro convoque a lo real: ahora es cuando el barco debería naufragar. Sin embargo sucede todo lo contrario. El simulacro lo invade todo, se apodera de las acciones, los deseos, las caras de la tripulación y el paisaje. El barco entero es ahora un simulacro y también el mar. Incluso yo misma finjo escribir.

Ana María Shua. **Casa de geishas**. Buenos Aires: Editorial Sudamericana, 1992, pág. 224.

CON WILLIAM SHAKESPEARE

Iván Egüez

Es una ciudad pequeña con un manicomio grande. Tiene un teatro muy bien dotado, acogedor. Lo he conocido entrando por el boquerón de los artistas. Ahí agachado, armando un soporte de madera, está con un martillo en la mano un hombre de bucles, salido de un retrato. Buenas tardes, le saludo. Buenas tardes, soy Shakespeare, me contesta.

Lo extraordinario no es que él apareciera casi cuatrocientos años después (por algo es inmortal), sino que yo hubiera visitado ese teatro casi cuatrocientos años antes.

Iván Egüez, **Cuentos fantásticos**. Quito: Abrapalabra Editores, 1996, pág. 11

DE VARIA LECCION

PARA UN TESORO DE SABIDURIA POPULAR

Adolfo Bioy Casares

Me dice la tucumana: «Si te pica una araña, mátala en el acto. Igual distancia recorrerán la araña desde la picadura y el veneno hacia tu corazón».

Adolfo Bioy Casares. **Guirnalda con amores**. Buenos Aires: Emecé, 1959, pág. 88.

LA FRANCESA

Adolfo Bioy Casares

Me dice que está aburrida de la gente. Las conversaciones se repiten. Siempre los hombres empiezan interrogándola en español: «¿Usted es francesa?» y continúan con la afirmación en francés: «*J'aime la France*». Cuando, a la inevitable pregunta sobre el lugar de su nacimiento, ella contesta «París», todos exclaman: «Parisienne!», con sonriente admiración, no exenta de *grivoiserie* como si dijeran «*comme vous devez être cochonne!*» Mientras la oigo recuerdo mi primera conversación con ella: fue minuciosamente idéntica a la que me refiere. Sin embargo, no está burlándose de mí. Me cuenta la verdad. Todos los interlocutores le dicen lo mismo. La prueba de esto es que yo también se lo dije. Y yo también en algún momento le comuniqué mi sospecha de que a mí me gusta más Francia que a ella. Parece que todos, tarde o temprano, le comunican ese hallazgo. No comprenden –no comprendemos– que Francia para ella es el recuerdo de su madre, de su casa, de todo lo que ha querido y que tal vez no volverá a ver.

Adolfo Bioy Casares. **Guirnalda con amores.** Buenos Aires: Emecé, 1959, pág. 54.

EL EMPERADOR DE LA CHINA

Marco Denevi

Cuando el emperador Wu Ti murió en su vasto lecho, en lo más profundo del palacio imperial, nadie se dio cuenta. Todos estaban demasiado ocupados en obedecer sus órdenes. El único que lo supo fue Wang Mang, el primer ministro, hombre ambicioso que aspiraba al trono. No dijo nada y ocultó el cadáver. Transcurrió un año de increíble prosperidad para el imperio. Hasta que, por fin, Wang Mang Mostró al pueblo el esqueleto pelado del difunto emperador. «¿Veis? –dijo–. Durante un año un muerto se sentó en el trono. Y quien realmente gobernó fui yo. Merezco ser emperador.» El pueblo, complacido, lo sentó en el trono y luego lo mató, para que fuese tan perfecto como su predecesor y la prosperidad del imperio continuase.

Marco Denevi. **Falsificaciones**. (1966)

LA HORMIGA

Marco Denevi

Un día las hormigas, pueblo progresista, inventan el vegetal artificial. Es una papilla fría y con sabor a hojalata. Pero al menos las releva de la necesidad de salir fuera de los ormigueros en procura de vegetales naturales. Así se salvan del fuego, del veneno, de las nubes insecticidas. Como el número de hormigas es una cifra que tiende constantemente a crecer, al cabo de un tiempo hay tantas hormigas bajo tierra que es preciso ampliar los hormigueros. Las galerías se expanden, se entrecruzan, terminan por confundirse en un solo Gran Hormiguero bajo la dirección de una sola Gran Hormiga. Por las dudas, las salidas al exterior son tapiadas a cal y canto. Se suceden las generaciones. Como nunca han franqueado los límites del gran hormiguero, incurren en el error de lógica de identificarlo con el Gran Universo. Pero cierta vez una hormiga se extravía por unos corredores en ruinas, distingue una luz lejana, unos destellos, se aproxima y descubre una boca de salida cuya clausura se ha desmoronado. Con el corazón palpitante, la hormiga sale a la superficie de la tierra. Ve una mañana. Ve un jardín. Ve tallos, hojas, yemas, brotes, pétalos, estambres, rocío. Ve una rosa amarilla. Todos sus instintos despiertan bruscamente. Se abalanza sobre las plantas y empieza a talar, a cortar y a comer. Se da un atracón. Después, relamiéndose, decide volver al Gran Hormiguero con la noticia. Busca a sus hermanas, trata de explicarles lo que ha visto, grita: «Arriba... luz... jardín... hojas... verde... flores...» Las demás hormigas no comprenden una sola palabra de aquel lenguaje delirante, creen que la hormiga ha enloquecido y la matan.

(Escrito por Pavel Vodnik un día antes de suicidarse. El texto de la fábula apareció en el número 12 de la revista *Szpilki* y le valió a su director, Jerzy Kott, una multa de cien *znacks*).

Marco Denevi. **Falsificaciones**. (1966).

LA BELLA DURMIENTE DEL BOSQUE Y EL PRINCIPE

Marco Denevi

La Bella Durmiente cierra los ojos pero no duerme. Esta esperando al Príncipe. Y cuando lo oye acercarse simula un sueño todavía más profundo. Nadie se lo ha dicho pero ella lo sabe. Sabe que ningún príncipe pasa junto a una mujer que tenga los ojos bien abiertos.

Marco Denevi. **Antología precoz**. Santiago de Chile: Editorial Universitaria, 1973, pág. 215.

EL ADIVINO

Jorge Luis Borges

En Sumatra, alguien quiere doctorarse de adivino. El brujo examinador le pregunta si será reprobado o si pasará. El candidato responde que será reprobado...

En Edmundo Valadés. **El libro de la imaginación**. México: Fondo de Cultura Económica, 1976, pág. 184.

SILOGISMO

Jorge Luis Borges

Demócrito jura que los abderitanos son mentirosos; pero Demócrito es abderitano: luego Demócrito miente: luego no es cierto que los abderitanos son mentirosos: luego Demócrito no miente: luego es verdad que los abderitanos son mentirosos: luego Demócrito miente: luego....

En Edmundo Valadés. **El libro de la imaginación**. México: Fondo de Cultura Económica, 1976, pág. 252.

LEYENDA

Jorge Luis Borges

Abel y Caín se encontraron después de la muerte de Abel. Caminaban por el desierto y se reconocieron desde lejos, porque los dos eran muy altos. Los hermanos se sentaron en la tierra, hicieron un fuego y comieron. Guardaban silencio, a la manera de la gente cansada cuando declina el día. En el cielo asomaba alguna estrella, que aún no había recibido su nombre. A la luz de las llamas, Caín advirtió en la frente de Abel la marca de la piedra y dejó caer el pan que estaba por llevarse a la boca y pidió que le fuera perdonado su crimen.

Abel contestó:

–¿Tú me has matado o yo te he matado? Ya no recuerdo; aquí estamos juntos como antes.

–Ahora sé que en verdad me has perdonado –dijo Caín–, porque olvidar es perdonar. Yo trataré también de olvidar.

Abel dijo despacio:

–Así es. Mientras dura el remordimiento dura la culpa.

Jorge Luis Borges. **Elogio de la sombra** (1969). En **Prosa completa**. Vol. 2. Barcelona: Bruguera, 1980, pág. 361.

14

Cristina Peri Rossi

Ella me ha entregado la felicidad dentro de una caja bien cerrada, y me la ha dado, diciéndome:

–Ten cuidado, no vayas a perderla, no seas distraída, me ha costado un gran esfuerzo conseguirla: los mercados estaban cerrados, en las tiendas ya no había y los pocos vendedores ambulantes que existían se han jubilado, porque tenían los pies cansados. Esta es la única que pude hallar en la plaza, pero es de las legítimas. Tiene un poco menos brillo que aquella que consumíamos mientras éramos jóvenes y está un poco arrugada, pero si caminas bien, no notarás la diferencia. Si la apoyas en alguna parte, por favor, recógela antes de irte, y si decides tomar un ómnibus, apriétala bien entre las manos: la ciudad está llena de ladrones y fácilmente te la podrían arrebatar.

Después de todas estas recomendaciones soltó la caja y me la puso entre las manos. Mientras caminaba, noté que no pesaba mucho pero que era un poco incómoda de usar: mientras la sostenía no podía tocar otra cosa, ni me animaba a dejarla depositada, para hacer las compras. De manera que no podía entretenerme, y menos aún, detenerme a explorar, como era mi costumbre. A la mitad de la tarde tuve frío. Quería abrirla, para saber si era de las legítimas, pero ella me dijo que se podía evaporar. Cuando desprendí el papel, noté que en la etiqueta venía una leyenda:

«Consérvese sin usar.»

Desde ese momento tengo la felicidad guardada en una caja. Los domingos de mañana la llevo a pasear, por la plaza, para que los demás me envidien y lamenten su situación; de noche la guardo en el fondo del ropero. Pero se aproxima el verano y tengo un temor: ¿cómo la defenderé de las polillas?

Cristina Peri Rossi. **Indicios pánicos**. 2a. ed. Barcelona: Bruguera,1981, pág. 38.

VISION DE REOJO

Luisa Valenzuela

La verdá, la verdá, me plantó la mano en el culo y yo estaba ya a punto de pegarle cuatro gritos cuando el colectivo pasó frente a una iglesia y lo vi persignarse. Buen muchacho después de todo, me dije. Quizás no lo esté haciendo a propósito o quizá su mano derecha ignore lo que su izquierda hace. Traté de correrme al interior del coche –porque una cosa es justificar y otra muy distinta es dejarse manosear– pero cada vez subían más pasajeros y no había forma. Mis esguinces sólo sirvieron para que él meta mejor la mano y hasta me acaricie. Yo me ponía nerviosa. El también. Pasamos frente a otra iglesia pero ni se dió cuenta y se llevó la mano a la cara sólo para secarse el sudor. Yo lo empecé a mirar de reojo haciéndome la disimulada, no fuera a creer que me estaba gustando. Imposible correrme y eso que me sacudía. Decidí entonces tomarme la revancha y a mi vez le planté la mano en el culo a él. Pocas cuadras después una oleada de gente me sacó de su lado a empujones. Los que bajaban me arrancaron del colectivo y ahora lamento haberlo perdido así de golpe porque en su billetera sólo había 7.400 pesos de los viejos y más hubiera podido sacarle en un encuentro a solas. Parecía cariñoso. Y muy desprendido.

Luisa Valenzuela. **Aquí pasan cosas raras**. Buenos Aires: Ediciones de la Flor, 1975, pág. 45.

UNA MADRE, GRACIAS A DIOS, PUEDE ELEGIR EL FUTURO DE SUS HIJOS

Alfonso Alcalde

La Flaca al ver por primera vez un preservativo asoció la idea a un acuario con pequeños peces.

Su sentido del humor llegaba a tales extremos que se permitía cortarles la punta sin que el galán la sorprendiera, de modo que todos sus hijos eligieron la carrera del mar cuando llegó el momento de ganarse la vida por su propia cuenta.

Alfonso Alcalde. **Epifanía cruda**. Buenos Aires: Ediciones de Crisis, 1974. pp. 94.

CORTISIMO METRAJE

Julio Cortázar

Automovilista en vacaciones recorre las montañas del centro de Francia, se aburre lejos de la ciudad y de la vida nocturna. Muchacha le hace el gesto usual del auto–stop, tímidamente pregunta si dirección Beaune o Tournus. En la carretera unas palabras, hermoso perfil moreno que pocas veces pleno rostro, lacónicamente a las preguntas del que ahora, mirando los muslos desnudos contra el asiento rojo. Al término de un viraje el auto sale de la carretera y se pierde en lo más espeso. De reojo sintiendo como cruza las manos sobre la minifalda mientras el terror poco a poco. Bajo los árboles una profunda gruta vegetal donde se podrá, salta del auto, la otra portezuela y brutalmente por los hombros. La muchacha lo mira como si no, se deja bajar del auto sabiendo que en la soledad del bosque. Cuando la mano por la cintura para arrastrarla entre los árboles, pistola del bolso y a la sien. Después billetera, verifica bien llena, de paso roba el auto que abandonará algunos kilómetros más lejos sin dejar la menor impresión digital porque en ese oficio no hay que descuidarse.

Julio Cortázar. **Ultimo round**. Vol. 2.México: Siglo XXI, 1980, pág.56.

SANSON Y LOS FILISTEOS

Augusto Monterroso

Hubo una vez un animal que quiso discutir con Sansón a las patadas. No se imaginan como le fue. Pero ya ven cómo le fue después a Sansón con Dalila aliada a los filisteos.

Si quieres triunfar contra Sansón, únete a los filisteos. Si quieres triunfar sobre Dalila, únete a los filisteos.

Unete siempre a los filisteos.

Augusto Monterroso. **La oveja negra y demás fábulas**. Barcelona: Seix Barral, 1981, pág. 65.

LA CARTA

José Luis González
(Puerto Rico)

San Juan, puerto Rico
8 de marso de 1947

Qerida bieja:

Como yo le desia antes de venirme, aquí las cosas me van vién. Desde que llegué enseguida incontré trabajo. Me pagan 8 pesos la semaná y con eso vivo como don Pepe el administradol de la central allá.

La ropa aqella que quedé de mandale, no la he podido compral pues quiero buscarla en una de las tiendas mejores. Digale a Petra que cuando valla por casa le boy a llevar un regalito al nene de ella.

Boy a ver si me saco un retrato un dia de estos para mandálselo a uste.

El otro día vi a Felo el hijo de la comai María. El esta travajando pero gana menos que yo.

Bueno recueldese de escrivirme y contarme todo lo que pasa por alla.

Su ijo que la qiere y le pide la bendisión.

Juan

Después de firmar, dobló cuidadosamente el papel ajado y lleno de borrones y se lo guardó en el bolsillo de la camisa. Caminó hasta la estación de correos más próxima, y al llegar se echó la gorra raída sobre la frente y se acuclilló en el umbral de una de las puertas. Dobló la mano izquierda, fingiéndose manco, y extendió la derecha con la palma hacia arriba.

Cuando reunió los cuatro centavos necesarios, compró el sobre y los sellos y despachó la carta.

José Luis González, **La galería** (México: Biblioteca Era, 1982), pág. 69.

ESTE CUENTO

Ariel Muniz
(Uruguay)

Cuando descubrieron al polizón, ya en alta mar, era tarde para regresarlo a puerto y admitieron que los acompañara. Todo siguió sin novedad hasta que una tormenta degeneró en naufragio. Con valor prodigioso, nuestro hombre encabezó las operaciones de salvataje. ¡Qué muestra de tino bien empleado! ¡Qué forma de inyectar optimismo sobre pasajeros y personal de a bordo! Como el último bote no dio abasto, fue invitado a hundirse con aquella vieja cáscara de nuez, supliendo la cobardía del capitán. Un drama tuvo así su héroe y los demás pudieron (pudimos) contar este cuento.

En **Plural** N.167 (Agosto de 1985), pág. 5

LA CIENCIA

Alvaro Yunque

El lobo al perro:

–Yo ladro como vos, y sin embargo el hombre a mí me persigue y a vos te alimenta.

El perro al lobo:

–Pero ¿olvidás que yo, además de ladrar, sé lamer la mano?

Puro cuento N.16 (1989), pág. 44.

BIBLIOGRAFIA BASICA SOBRE EL MICRO-RELATO

ARENAS, BRAULIO, "Cuentos cortos", **El Mercurio**, (25 de septiembre de 1977).

BARRERA LINARES, LUIS. "La narración mínima como estrategia pedagógica máxima". **Perfiles educativos** 66, UNAM, (1994): 15-21.

BELL, ANDREA. **The cuento breve in Modern Latin American Literature**, tesis doctoral, Stanford University, (1991).

__________ "El cuento breve venezolano contemporáneo". **Revista Interamericana de Bibliografía**, XLVI, 1-4 (1996): 123-145.

BENAVIDES, ROSAMEL."Estrategias pedagógicas para la enseñanza del microcuento en clases de lengua". Zavala, Lauro. **Lecturas simultáneas. La enseñanza de lengua y literarura con especial atención al cuento corto**. México: Universidad Autónoma Metropolitana, 1999: 87 - 03

BUCHANAN, RHONDA D. "Literature's Rebellious Genre: The Short Story Story in Ana María Shua's **Casa de Geishas**". **Revista Interamericana de Bibliografía**, XLVI, 1-4 (1996): 179-192.

EPPLE, JUAN ARMANDO. "Brevísima relación sobre el mini-cuento en Hispanoamérica". **Puro cuento** 10, Buenos Aires (1988): 31-33.

__________ "Brevísima relación sobre el cuento brevísimo". **Revista Interamericana de Bibliografía**. Vol. XLVI, 1-4 (1996): 9-17.

GIARDINELLI, MEMPO. "Es inútil querer encorsetar el cuento (algunas reflexiones sobre teoría y práctica del cuento)". **Puro cuento** 7 (1987): 28-31, 55-56.

KOCH, DOLORES. **El micro-relato en México: Julio Torri, Juan José Arreola y Augusto Monterroso**, tesis doctoral, City University of New York, (1986).

____________ "El micro-relato en México: Torri, Arreola, Monterroso y Avilés Fabila". **Hispamérica** 30 (1981): 123-130.
Repr. en **De la crónica a la nueva narrativa**. México: Oasis, (1986): 161-177.

____________"Virgilio Piñera, cuentista". **Revista Interamericana de Bibliografía**. Vol. XLVI, 1-4 (1996): 171-178.

LAGMANOVICH, DAVID. "Márgenes de la narración: el microrrelato hispanoamericano". **Chasqui**, XXIII: 1 (1994): 29-43.

__________________"Hacia una teoría del microrrelato hispanoamericano". **Revista Interamericana de Bibliografía**. Vol. XLVI, 1-4 (1996): 19-37.

__________________"Sobre el microrrelato en la Argentina". **Foro Hispánico** 11 (1997): 11-22.

MIRANDA, JULIO. "El cuento breve en Venezuela". **Cuadernos Hispanoamericanos** 555 (1996): 85-94. "El cuento breve en la nueva narrativa venezolana". **Revista Interamericana de Bibliografía**. Vol. XLVI, 1-4 (1996): 109-122.

NOGUEROL JIMENEZ, FRANCISCA. "El micro-relato hispanoamericano: Cuando la brevedad noquea". **Lucanor**, Pamplona, 8 (1992): 117-133.

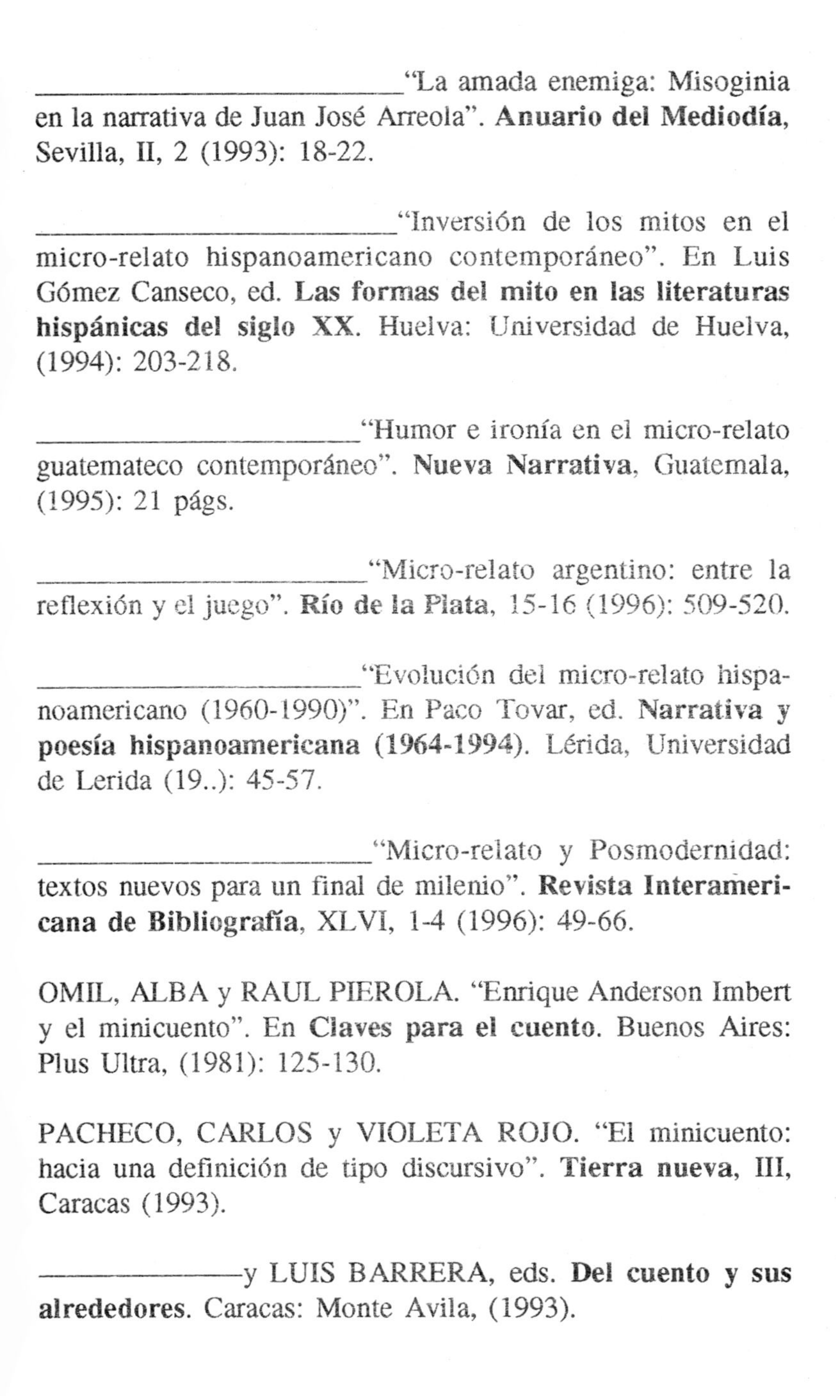

__________________________"La amada enemiga: Misoginia en la narrativa de Juan José Arreola". **Anuario del Mediodía**, Sevilla, II, 2 (1993): 18-22.

__________________________"Inversión de los mitos en el micro-relato hispanoamericano contemporáneo". En Luis Gómez Canseco, ed. **Las formas del mito en las literaturas hispánicas del siglo XX**. Huelva: Universidad de Huelva, (1994): 203-218.

__________________________"Humor e ironía en el micro-relato guatemateco contemporáneo". **Nueva Narrativa**, Guatemala, (1995): 21 págs.

__________________________"Micro-relato argentino: entre la reflexión y el juego". **Río de la Plata**, 15-16 (1996): 509-520.

__________________________"Evolución del micro-relato hispanoamericano (1960-1990)". En Paco Tovar, ed. **Narrativa y poesía hispanoamericana (1964-1994)**. Lérida, Universidad de Lerida (19..): 45-57.

__________________________"Micro-relato y Posmodernidad: textos nuevos para un final de milenio". **Revista Interamericana de Bibliografía**, XLVI, 1-4 (1996): 49-66.

OMIL, ALBA y RAUL PIEROLA. "Enrique Anderson Imbert y el minicuento". En **Claves para el cuento**. Buenos Aires: Plus Ultra, (1981): 125-130.

PACHECO, CARLOS y VIOLETA ROJO. "El minicuento: hacia una definición de tipo discursivo". **Tierra nueva**, III, Caracas (1993).

________________y LUIS BARRERA, eds. **Del cuento y sus alrededores**. Caracas: Monte Avila, (1993).

PEREZ BELTRAN, ANGELA MARIA. **Cuento y microcuento**. Bogotá: Página Maestra Editores (1997)

PLANELLS, ANTONIO. "Bosquejo dialéctico de la mini-ficción". **Iberoromania** 35 (1992): 33-49.

POLLASTRI, LAURA. **"Una escritura de lo intersticial: Las formas breves en la narrativa hispanoamericana contemporánea"**. Azar, Inés, ed. **El puente de las palabras: Homenaje a David Lagmanovich**. Washington, D.C.: Organización de Estados Americanos, (1994): 341-352.

______________"El insidioso espacio de la letra: Juan José Arreola y el relato breve en Hispanoamérica". **Revista Interamericana de Bibliografía**, XLVI, 1-4 (1996): 147-169.

RODRIGUEZ, NANA. **Elementos para una teoría del microcuento**. Tunjka, Colombia: Colibrí Ediciones (1997)

ROJO, VIOLETA. "El minicuento, caracterización discursiva y desarrollo en Venezuela". **Revista Iberoamericana** 166-167 (1994): 565-573.

______________"El minicuento, ese (des)generado". **Revista Interamericana de Bibliografía,** XLVI, 1-4 (1996): 39-47.

______________**Breve manual para reconocer minicuentos**. México: Universidad Autnónoma Metropolitana, (1997).

RUFFINELLI, JORGE et al. **Augusto Monterroso**, Anejo 1 de la revista **Texto Crítico**. México: Universidad Veracruzana, (1976).

SILES, GUILLERMO. "El microrrelato: un género híbrido". **RILL**. Revista del Instituto de Investigaciones Lungüísticas y Literarias Hispanoamericana, 13, Tucumán (1996): 102-112.

SANCHEZ-EPPLE, ALICIA."Estrategias de lectura del cuento brevísimo". Zavala, Lauro. **Lecturas simultáneas. La enseñanza de lengua y literarura con especial atención al cuento corto**. México: Universidad Autónoma Metropolitana, 1999: 105 - 116.

TOMASSINI, GRACIELA y STELLA MARIS COLOMBO. "Aproximaciones al minicuento hispanoamericano: Juan José Arreola y E. Anderson-Imbert". **Puro Cuento** 36 (1992): 32-36. También en **Revista Interamericana de Bibliografía** XLIII: 4 (1993): 641-648.

_________"La minificción como clase textual transgenérica". **Revista Interamericana de Bibliografía**, XLVI, 1-4 (1996): 79-93.

_________ "La minificción como estrategia pedagógica en los procesos de comprensión y producción textual". Zavala, Lauro. **Lecturas simultáneas. La enseñanza de lengua y literarura con especial atención al cuento corto**. México: Universidad Autónoma Metropolitana, 1999: 119 - 140.

VALADES, EDMUNDO. "Ronda por el cuento brevísimo". **Puro cuento**, 21 (1990): 28-30. Repr. en Pacheco, Carlos y Luis Barrera, comps. **Del cuento y sus alrededores**. Caracas: Monte Avila Editores, (1993): 281-292.

YEPES, ENRIQUE. "El microcuento hispanoamericano ante el próximo milenio". **Revista Interamericana de Bibliografía**, XLVI, 1-4 (1996): 95-107.

ZAVALA, LAURO. "El cuento ultracorto: Hacia un nuevo canon literario". Poot Herrera, Sara, ed. **El cuento mexicano. Homenaje a Luis Leal**. México: UNAM, (1996): 165-181. Repr. en **Revista Interamericana de Bibliografía**, XLVI, 1-4 (1996): 67-77.

ZAVALA, LAURO. "Breve y seductora: La minificción y la enseñanza de teoría literaria". Zavala, Lauro. **Lecturas simultáneas. La enseñanza de lengua y literarura con especial atención al cuento corto**. México: Universidad Autónoma Metropolitana, 1999: 141 - 149.